*Une histoire
de la Deuxième Guerre mondiale*

1941
LE MONDE PREND FEU

UNE HISTOIRE
DE LA DEUXIÈME GUERRE MONDIALE

1940, de l'abîme à l'espérance, XO Éditions, 2010
1941, le monde prend feu, XO Éditions, 2011
1942, le jour se lève, XO Éditions, à paraître
1943, le souffle de la victoire, XO Éditions, à paraître
1944-1945, le tombeau du IIIᵉ Reich, XO Éditions, à paraître

Max Gallo
de l'Académie française

Une histoire
de la Deuxième Guerre mondiale

1941

Le monde prend feu

récit

XO
EDITIONS

© XO Éditions, Paris, 2011

ISBN : 978-2-84563-467-1

« *Nous proclamons que l'ennemi est l'ennemi. Quand l'Allemand est à Paris, à Bordeaux, à Lille, à Reims, à Strasbourg, quand l'Allemand et l'Italien prétendent dicter leur loi à la nation française, il n'y a rien à faire que de combattre...*

Nous proclamons que si l'armée française a perdu une grande bataille, elle n'a pas perdu la guerre. Car cette guerre est une guerre mondiale. Si l'ennemi a pu d'abord remporter des victoires, il n'a pas gagné et il le sait bien. Déjà de durs revers le frappent. Et dans le monde entier des forces immenses se lèvent pour l'écraser. »

Général DE GAULLE
à la radio de Londres
samedi 28 décembre 1940

« *En tant que Britanniques, il est de notre devoir, dans l'intérêt commun, comme pour notre survie, de tenir le front et de lutter contre la puissance nazie, jusqu'à ce que les États-Unis aient terminé leurs préparatifs...*

Soyez assuré que nous sommes prêts aux souffrances et aux sacrifices ultimes dans l'intérêt de la Cause et que nous nous faisons gloire d'en être les champions. »

Lettre de Winston CHURCHILL,
Premier Ministre, au président F. D. Roosevelt
7 décembre 1940

« *Si les États-Unis et la Russie font la guerre, la situation se compliquera. D'où l'urgence de juguler dès à présent ces deux menaces. Une fois la Russie éliminée – notre tâche numéro 1 – nous serons à même de poursuivre indéfiniment les hostilités contre la Grande-Bretagne. Par ailleurs le Japon sera grandement soulagé et les États-Unis courront un danger supplémentaire.* »

Le chancelier Adolf HITLER
devant le conseil de guerre
8 février 1941

L'OPÉRATION BARBAROSSA,
DÉCLENCHÉE LE 22 JUIN 1941

Avancée des unités allemandes

Poches de résistance soviétique

Le front au 5 décembre 1941

1941 – LA GUERRE DU DÉSERT

GRÈCE

TURQUIE

Alep

SYRIE

Chypre

Sicile

Crète

Rhodes

Damas

Malte

MER
MÉDITERRANÉE

Derna

Beda Littoria
Bardia
Tobrouk

Sidi-Barani

Marsa Matrouh

Alexandrie

Jérusalem

Tripoli

Benghazi

Sollum

Halfaya

El Alamein

Le Caire

Canal de Suez

Agedabia

LIBYE
(territoire de l'Axe)

ÉGYPTE
(sous occupation
britannique)

Murzuk

Kufra

- - - - - - - - - - → L'offensive allemande (*Afrikakorps*) par Rommel

L'ATTAQUE DE PEARL HARBOR, 7 DÉCEMBRE 1941

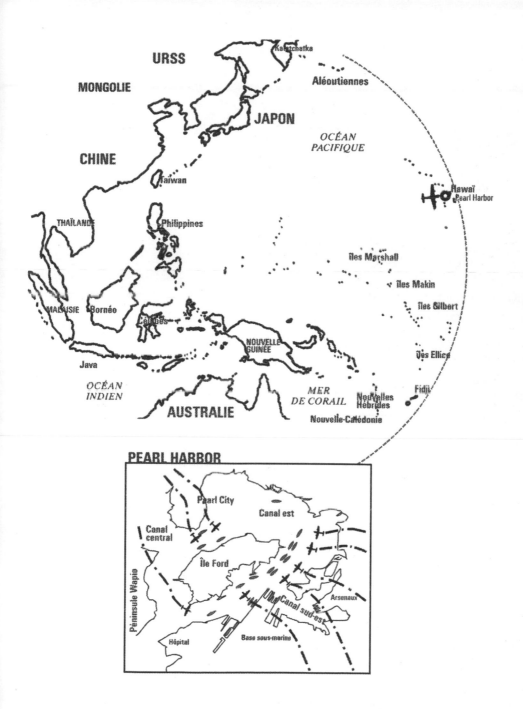

PROLOGUE

L'heure d'espérance

Mercredi 1er janvier 1941

ou

LE PLÉBISCITE DU SILENCE

C'est l'aube du mercredi 1ᵉʳ janvier 1941.

De Gaulle marche lentement dans le parc qui entoure la maison de campagne où, depuis le 4 octobre 1940, Yvonne de Gaulle et leurs deux filles, Anne et Élisabeth, se sont installées.

Il n'est pas une heure où de Gaulle ne s'en félicite.

Quand, pour se rendre au siège de la France Libre, au 4, Carlton Gardens, cet immeuble situé au cœur de Londres, il parcourt les rues de la capitale anglaise, il découvre chaque

Cratère de bombe vers Mansion House après un bombardement à Londres.

jour de nouvelles ruines, des rues entières ne sont plus que gravats et débris, poussière et douleur.

On retire des ruines des centaines de corps boursouflés.

La maîtrise et la dignité des survivants, des sauveteurs, de ce peuple anglais bouleversent de Gaulle.

C'est grâce à ce patriotisme britannique, à l'énergie immense de Winston Churchill, que les Allemands n'ont pas gagné la bataille d'Angleterre.

Les nazis ne débarqueront pas sur les rivages anglais.

Ils ne feront pas plier ce peuple. Et la Luftwaffe de Goering, ce Reichsmarschall drogué et mégalomane, n'est plus capable que de tuer des civils et d'incendier des quartiers de Coventry, de Bristol, de Portsmouth, de Glasgow, de Plymouth, de Birmingham, de Londres.

Mais, heureusement, la maison de campagne – à l'étrange nom de Gadlas – où vivent Yvonne, Anne et Élisabeth, est au cœur du bourg d'Ellesmere, dans le comté de Shropshire, loin des zones visées par les bombardiers allemands.

Cependant, lorsque de Gaulle séjourne à Ellesmere, il est réveillé par le grondement des meutes de bombardiers composées de plusieurs centaines d'appareils. Ils survolent le comté au début de la nuit, puis avant l'aube.

Et cette nuit, la dernière de l'année 1940, de Gaulle s'est levé. Il arpente le parc.

Il ne peut détacher les yeux de l'horizon qu'éclairent les incendies de Londres, ces lueurs immenses, jaune et rouge.

Une aube prématurée semble dévorer la nuit.

On n'entend que le bruit du vent dans les hautes ramures des arbres du parc : les meutes de la Luftwaffe ont regagné leurs tanières, en France, en Belgique, en Hollande. Et les explosions qui accompagnent les incendies, les bombes à retardement qui tuent les sauveteurs sont trop éloignées pour que leurs déflagrations sourdes parviennent jusqu'à Ellesmere.

Restent ces soudains éclats qui illuminent l'horizon, jaillissements de lumière qui font croire qu'une aube ensoleillée se prépare.

Mais ce n'est que la guerre cruelle qui va devenir mondiale. De Gaulle en est persuadé, comme l'est Winston Churchill, et comme devront s'y résoudre le président Roosevelt – qui vient d'être réélu pour un second mandat le 4 novembre 1940 – ou Staline qui espère – mais y croit-il vraiment ? – que Hitler respectera le pacte de non-agression germano-soviétique du 23 août 1939 !

Comme si Hitler n'avait pas dans *Mein Kampf* écrit en 1925 et posé son programme, son bréviaire.

Le Reich allemand doit s'emparer de l'espace vital situé à l'est. Il doit domestiquer, morceler la Pologne méprisée et la Russie tombée aux mains de judéo-bolcheviques. Et il faut d'abord écraser la France.

De Gaulle s'immobilise.

La France est le territoire de sa douleur.

Il lui semble parfois qu'il souffre pour elle et par elle autant que lorsqu'il songe à sa fille Anne, enfermée dans la gangue de sa nuit intime.

C'est à lui, de Gaulle, qu'est échu le destin de tout faire pour les arracher l'une et l'autre à cette souffrance. Il n'est pas d'autres tâches pour lui.

Il doit donner à l'une et à l'autre toutes ses forces, son amour. Au fond de lui, il sait qu'il ne peut apporter à Anne que de brefs instants de délivrance, alors qu'il peut faire en sorte que la France soit assise, un jour, à la table des vainqueurs.

Dès le mois de juillet 1940, de Gaulle a pensé que ces vainqueurs ne pourraient être l'Allemagne nazie et l'Italie fasciste. Le monde, les nations démocratiques, les peuples n'accepteraient jamais de se soumettre à ces forces de régression incarnées par Hitler et Mussolini.

**Franklin Delano
Roosevelt.**

Les États-Unis entreraient un jour dans la guerre contre l'Allemagne même si pour l'heure 80 % des Américains souhaitaient demeurer en dehors du conflit. Roosevelt était donc obligé de ruser avec son opinion publique. Mais on ne pourrait pas séparer Washington de Londres.

Ni empêcher que les deux molosses, l'Allemagne nazie et la Russie soviétique, n'en viennent à s'entrégorger. Et la Russie, comme en 1914, apporterait le complément de sa masse aux Alliés. Il fallait donc que la France Libre soit présente dans la Grande Alliance qui allait se constituer.

Pour cela, la France devait être présente sur tous les fronts, au côté des Alliés.

De Gaulle, dans le froid humide de cette journée du mercredi 1er janvier 1941 qui commence, se souvient de ces hommes, le colonel Leclerc, le capitaine Massu, le gouverneur général Éboué, qui ont fait basculer des parties de l'Empire français dans la France Libre.

Certes, ni l'Afrique du Nord ni Dakar ne l'ont rejointe. Et c'est douleur, obsession. Mais les Nouvelles-Hébrides, le Tchad, l'Oubangui, le Congo, les établissements français d'Océanie des Indes, la Nouvelle-Calédonie, constituent déjà une « Grande France », un « Empire français libre ».

Il faudra prendre pied en Syrie, au Liban, dans tous les territoires restés aux mains des hommes de Vichy. Et de Gaulle sait bien que les Anglais se satisfont de cette situation, pensant rafler la mise coloniale à une France divisée et affaiblie.

Car la « Grande Alliance » qui se dessine est pleine d'arrière-pensées et d'appétits.

18

Londres soutient de Gaulle et lorgne l'Empire français. Washington soutient Londres, et veut en faire une vassale plutôt qu'une égale.

Quant à Staline, s'il est contraint d'entrer dans la guerre, ce sera avec l'ambition d'atteindre les objectifs de la Russie impériale : les mers chaudes du Sud, la Baltique au nord, et l'influence dans les Balkans et en Europe centrale.

Et l'on se bat déjà dans toutes ces régions, où le grand acteur allemand n'est pas encore intervenu.

Ce sont les Italiens, en dépit des réticences de Hitler, qui ont envahi la Grèce avant d'être refoulés. En Afrique, leurs troupes, à partir de la Libye et de la Cyrénaïque, puis de l'Éthiopie, ont avancé vers l'Égypte, mais les contre-offensives anglaises les ont défaites. Plus de cent mille soldats italiens ont levé les bras après avoir abandonné leurs armes ! Que va faire l'Allemagne ? Intervenir pour sauver son allié, mais quand ?

Or la France est déjà là, derrière les drapeaux des Forces françaises libres, quelques milliers d'hommes – et souvent seulement quelques centaines – en Érythrée, en Libye, en Égypte.

La France Libre n'existe que si elle se bat, que si son drapeau à croix de Lorraine flotte sur tous les champs de bataille. Contribution symbolique ? Et même si ce n'était que cela ?

L'Histoire est faite de symboles.

De Gaulle s'est rendu à Plymouth et à Portsmouth afin d'inspecter les goélettes, *Étoile* et *Belle-Poule*, sur lesquelles ces élèves officiers des Forces navales françaises libres apprennent l'art de la navigation.

Parmi ces jeunes hommes, il y a Philippe, son fils.

L'air froid, salé, fait voleter les cols marins, les pavillons à la croix de Lorraine. Les clairons sonnent. De Gaulle s'adresse à ces jeunes hommes, sans regarder Philippe, mais c'est à lui qu'il parle.

Il dit à l'amiral Muselier, l'un des rares officiers qui l'aient rejoint :

« Ce début de regroupement de la marine française dans la guerre vous fait grand honneur, je vous en félicite. »

Mais il se souvient de Mers el-Kébir, de l'impitoyable logique britannique qui, le 3 juillet 1940, fit bombarder et détruire la flotte française ancrée dans la rade d'Oran, impuissante.

De Gaulle sait qu'il ne faut jamais oublier que « les Anglais sont des alliés vaillants et solides mais bien fatigants ».

Leurs agents agissent en France sans en avertir les résistants et les envoyés de la France Libre.

Il y a rivalité entre les services secrets britanniques et ceux de la France Libre, dirigés par le Bureau Central de Renseignement et d'Action (BCRA).

Et de même, les Anglais conservent pour eux seuls la maîtrise des informations obtenues en décryptant les messages secrets allemands grâce à une machine à crypter et à décrypter – *Enigma* – mise au point essentiellement par des Français et des Polonais, et utilisée par les services de renseignements de l'armée française, fidèles à Pétain mais anti-allemands...

Il faut veiller à chaque seconde aux intérêts de la France, arracher l'appui des Anglais et les empêcher d'empiéter sur les prérogatives de la France Libre, c'est-à-dire de la France.

La souveraineté française, « ce doit être mon obsession ».

À peine a-t-il le temps de donner de ses nouvelles à Yvonne. Il n'est rentré d'un périple de deux mois en Afrique qu'en novembre 1940. Et aussitôt, ç'a été une « terrible bousculade ».

« Ma chère petite femme chérie, écrit-il à son épouse.

« À Portsmouth, j'ai vu notre Philippe. Il était très bien. On l'avait mis comme l'homme de droite [le plus grand] de la garde d'honneur qui me présentait les armes sur le *Président-Théodore-Tissier* [le navire-école].

« J'ai pu lui parler ensuite quelques minutes. L'école m'a fait bon effet. Le milieu est bon et je vois que Philippe y réussit. C'est tout de même un choix hasardeux que d'entrer en ce moment dans la marine française ! Mais quoi ? Que ferait-il de mieux ? »

Il écrit un mot à Philippe :

« Ton papa ne t'oublie certes pas et je pense souvent à la vie courageuse et intéressante dans laquelle tu t'es engagé… Je crois que l'équivoque Pétain-Vichy est en train de se dissiper… Bientôt les fantômes et les rêves auront disparu et l'on verra partout, même en Angleterre, qu'entre la France vraie et nous, les "gaullistes", il n'y a que l'ennemi… »

Il est en effet persuadé, ces derniers jours du mois de décembre 1940, que la logique de la guerre va, en 1941, obliger chacun à choisir.

Il l'a écrit à Philippe, il le dit devant le micro de la radio de Londres, le samedi 28 décembre.

Les mots – les mêmes que ceux qui ont jailli de sa plume lorsqu'il s'adressait à son fils – il les martèle, sachant que des millions de Français les écoutent.

Des rapports transmis de France par les agents de renseignements assurent que les rues et les lieux publics se vident à l'heure des émissions de la BBC *Les Français parlent aux Français*.

« L'affreuse équivoque dans laquelle les conditions de l'armistice ont plongé la France est en train de prendre fin, dit-il le samedi 28 décembre.

« L'apparence de souveraineté dont se targuaient les responsables de la capitulation croule à son tour dans la honte et dans la panique.

« Derrière les débris du décor, la nation voit la réalité. La réalité, c'est l'ennemi. »

Sa voix tremble. Ce bilan de l'année 1940, cette espérance pour l'année 1941, c'est le bilan de sa vie.

« Nous avons, nous les Français Libres, le droit et le devoir de parler ferme et de parler haut. Nous en avons le droit, parce qu'un millier de nos soldats, de nos marins, de nos aviateurs, sont morts pour la France depuis l'armistice.

« L'ennemi est l'ennemi, poursuit-il, l'armée française a perdu une grande bataille, la France, elle, n'a pas perdu la guerre. »

Il hausse encore la voix, car il veut que sa certitude, son analyse, sa prévision aient la force d'une prophétie :

« Car cette guerre est une guerre mondiale. Si l'ennemi a pu d'abord remporter des victoires, il n'a pas gagné, il le sait bien. Déjà de durs revers le frappent. Et dans le monde entier des forces immenses se lèvent pour l'écraser.

« Nous proclamons que dans cette guerre mondiale la France doit jouer un rôle décisif. Notre Empire est intact. »

Il s'adresse à ces généraux, ces officiers fidèles encore à Vichy.

« Nous proclamons que tous les chefs français, quelles qu'aient pu être leurs fautes, qui décideront de tirer l'épée qu'ils ont remise au fourreau nous trouveront à leurs côtés, sans exclusive et sans ambition. »

Entendront-ils cet appel, les généraux qui règnent sur l'Afrique du Nord, le Sahara, le Sénégal, et ceux qui commandent à Beyrouth et à Damas ?

Il n'a pas d'illusions sur le jeu anglais.

On lui a rapporté le mot de Halifax, qui exprime la position du Foreign Office :

« Pourvu que l'Empire français reste sainement antiallemand et anti-italien, et agisse en conséquence, peu importe que ce soit avec de Gaulle ou avec des chefs qui ne veulent pas rompre avec Vichy. »

C'est le moyen pour Londres – au-delà du froid réalisme – de limiter la souveraineté de la France Libre, c'est-à-dire celle de la France, et de garder ouvertes toutes les hypo-thèses politiques. De Gaulle ou Pétain ? Tel ou tel militaire ? L'amiral Darlan ou le général Weygand ?

Londres choisira d'aider celui qui sera le moins intran-sigeant sur les droits et la souveraineté de la France.

Selon de Gaulle, il faut donc que toute la France se rassemble derrière lui, non pour satisfaire une ambition poli-tique personnelle. Sa vie ne compte pas.

Mais l'indépendance et la souveraineté de la France se traduisent, compte tenu des circonstances, par de Gaulle et la France Libre.

Ce mercredi 1er janvier 1941, de Gaulle attend une réponse de la France.

Dès le lundi 23 décembre, puis de nouveau le samedi 28 et encore hier soir, mardi 31 décembre 1940, il a demandé aux Français « d'observer l'*Heure d'Espérance*, en s'abstenant de paraître au-dehors, de 14 heures à 15 heures pour la France non occupée, de 15 heures à 16 heures pour la France occupée.

« En faisant pendant ces soixante minutes le vide dans les rues de nos villes et de nos villages, tous les Français montre-ront à l'ennemi qu'ils le tiennent pour l'ennemi.

« Par cet immense *plébiscite du silence*, la France fera connaître au monde qu'elle ne voit son avenir que dans la liberté, sa grandeur que dans l'indépendance, son salut que dans la victoire ».

Les heures de ce mercredi 1er janvier 1941 s'écoulent trop lentement.

De Gaulle marche dans le parc d'Ellesmere. Il s'arrête au bord du petit étang. Et tout à coup, l'angoisse le saisit : Anne, la pauvre petite, pourrait échapper à la surveillance de sa mère, de Marguerite Potel qui s'occupe d'elle, et se noyer dans ce minuscule plan d'eau.

C'est comme si l'anxiété, au-delà de la raison, avait trouvé le moyen de s'exprimer.

Il pense à ce premier fusillé de Paris, Jacques Bonsergent, exécuté dans le fort de Vincennes, le lundi 23 décembre.

Il pense au commandant d'Estienne d'Orves qui a débarqué le 24 décembre de Bretagne avec son radio, Marty, pour une mission de renseignement.

De Gaulle et le BCRA ont tenté de dissuader l'officier de marine tant l'entreprise était périlleuse.

Mais le 25 décembre, jour de Noël, d'Estienne d'Orves a établi sa première liaison et annoncé qu'il partait pour Paris.

« Que de vies qui s'offrent ! Que de vies que la guerre va trancher ! »

La journée du mercredi 1er janvier 1941 s'achève et ce n'est que dans la nuit, puis les jours suivants, que les renseignements affluent de France.

Les rues se sont vidées, le mercredi 1er janvier. Un témoin raconte ce qu'il a vu à Quimper :

« À trois heures moins le quart, les promeneurs se pressent en foule dans toutes les rues. À trois heures moins cinq, il n'y a plus personne et derrière les fenêtres du rez-de-chaussée, de part et d'autre de la rue, des gens font signe aux promeneurs attardés de se hâter et leur montrent l'heure. Après trois heures, les invitations se font plus pressantes et les gestes deviennent menaçants…

« Et à quatre heures, comme à la sortie d'une classe, la foule se précipite en riant et se bousculant de joie dans les rues… »

« Désormais, il est prouvé que ceux qui parlent au nom de la France écrasée et bâillonnée, ce ne sont ni les infâmes journaux, ni les postes de radio contrôlés par l'envahisseur, ni les ministres qui, à Vichy, se disputent les apparences du pouvoir.

« Ceux qui parlent au nom de la France, ce sont les Français Libres. »

Ainsi s'exprime de Gaulle, le jeudi 9 janvier 1941.

Il sait que les résistants qui agissent en France, au péril de leur vie, trouvent que ce « plébiscite du silence » est une manifestation bien passive.

Mais c'est une manière d'exprimer qu'il existe une autre voie que celle de l'abandon et du désespoir.

Que la France n'est pas représentée par les collaborateurs qui acceptent que les Allemands raflent dans la zone occupée des jeunes hommes, pour compléter les convois d'« ouvriers volontaires » au travail en Allemagne.

Que la France n'est pas représentée par les ministres de Vichy qui livrent aux Allemands des antinazis qui ont fui le régime de Hitler et ont cru trouver le salut en France.

Ce sont ces refus que manifestait le plébiscite du silence.

Le 1er janvier 1941 est bien l'« heure d'espérance ».

PREMIÈRE PARTIE

Janvier

—

22 juin 1941

« Je suis sûr que nous allons gagner la guerre, même si je ne vois pas encore très bien comment. »

Winston CHURCHILL
aux maréchaux de l'air Portal et Dowding
fin décembre 1940

« Il faut résoudre tous les problèmes de l'Europe continentale en 1941 parce qu'à partir de 1942 les États-Unis seront prêts à faire la guerre. »

Adolf HITLER
au général Jodl
17 décembre 1940

« Nous devons être le grand arsenal de la démocratie… »

Franklin D. ROOSEVELT
28 décembre 1940

1.

En ce début du mois de janvier 1941, Winston Churchill, tête nue, dents serrées sur son cigare, marche lentement parmi les ruines.

De la cathédrale de Coventry ne se dressent plus que quelques pans de mur, vestiges d'un autre temps.

Winston Churchill (à gauche) traverse les rues dévastées de Londres après une attaque aérienne de la Luftwaffe, sous les acclamations de la population.

Winston Churchill s'attarde, dit aux maréchaux de l'air Portal et Dowding :

« Je suis sûr que nous allons gagner la guerre, même si je ne vois pas encore très bien comment. »

Dans les rues de Londres dont il ne reste dans certains quartiers populaires que des amoncellements de pierres, que fouillent les habitants à la recherche des souvenirs de leur vie détruite, Churchill répète ce qu'il martèle dans chacun de ses discours :

« Quoi qu'il arrive, l'Angleterre ira jusqu'au bout, dût-elle le faire absolument seule. »

Une petite foule l'entoure, l'applaudit, l'encourage et, à son secrétaire Coville, Churchill, mâchonnant son cigare, murmure qu'il ne comprend pas pourquoi il conserve une telle popularité. Après tout, maugrée-t-il, depuis son accession au pouvoir, tout a mal tourné et il n'a eu que des désastres à annoncer.

Puis lançant sa canne en avant, marchant d'un pas rapide, il marmonne :

« *London can take it* », Londres peut encaisser ça.

Le *Blitz* n'a pas brisé la volonté de la population, même si dans les quartiers populaires de l'East End les critiques, le défaitisme, l'antisémitisme fusent mais s'effacent vite lorsqu'on apprend qu'une bombe est tombée dans la cuisine du Premier Ministre, 10, Downing Street, que Buckingham Palace et le West End sont à leur tour touchés.

« Londres ressemble à un gigantesque animal préhistorique, dit Churchill, capable de recevoir sans broncher des coups terribles et qui, mutilé, saignant par mille blessures, persiste cependant à se mouvoir et à vivre. »

La bataille d'Angleterre, en dépit de l'acharnement quotidien et nocturne de la Luftwaffe, est donc gagnée par les Anglais.

Même si Churchill – nom de code pour ses déplacements : colonel Warden – peut chaque jour mesurer le saccage que réalisent les bombardiers allemands.

En janvier 1941, à Bristol, où Churchill doit décerner à l'ambassadeur des États-Unis et au Premier ministre australien deux doctorats *honoris causa*, la ville a été éventrée dans la nuit précédant la cérémonie. Et Churchill remet les doctorats, au milieu des ruines, devant des autorités qui, en uniforme de défense passive, viennent de participer aux secours.

Churchill paraît encore plus déterminé en ces circonstances. On a gagné la bataille d'Angleterre !

Il décrète qu'on doit livrer et gagner ce qu'il appelle la *bataille de l'Atlantique* contre les meutes de sous-marins de l'amiral Dönitz, qui attaquent les convois la nuit, coulant durant les deux premiers mois de 1941 640 000 tonnes de navires alliés. Or il faut à la Grande-Bretagne pour survivre importer 33 millions de tonnes par mois.

Churchill suit chaque jour l'évolution de cette bataille. Il connaît par cœur le chiffre des pertes. Il interroge les amiraux – Pound, Cunningham – qu'il appelle ses *daily prayers*.

Il les écoute, s'éloigne tête baissée en murmurant : « C'est terrifiant. »

« Ce danger mortel qui menace nos communications vitales me ronge les entrailles, dit-il. Combien je préférerais une invasion sur une grande échelle à ce péril insondable et impalpable. »

Il pense à ces navires torpillés qui deviennent des brasiers, à ces milliers de marins, noyés, asphyxiés par le mazout.

C'est la « mer cruelle ».

« Nous devons donner une priorité absolue à cette affaire », dit-il à l'amiral Pound.

Il veut tout contrôler. Il préside le *Comité pour la bataille de l'Atlantique* qu'il vient de créer.

Il rédige un document en treize points qui définit les buts, les moyens de cette lutte pour la survie. Car la guerre peut être perdue sur mer.

Le document *Battle of the Atlantic Directive* est achevé le 6 mars 1941.

Désormais, les sous-marins de l'amiral Dönitz, les cuirassés et les croiseurs de l'amiral Raeder (le *Bismarck*, le *Tirpitz*, le *Scharnhorst*, le *Gneisenau*) vont être les uns et les autres traqués, refoulés.

Churchill, Premier Ministre, mais ancien Premier lord de l'Amirauté, y veillera chaque jour.

La bataille de l'Atlantique doit être gagnée comme l'a été la bataille d'Angleterre.

C'est une guerre sans haine que mène Churchill. Il n'en abandonne jamais la direction. Il dicte jusqu'à l'aube. Il reçoit des visiteurs, lit des rapports toute la nuit.

Il est soit à Downing Street, soit dans les appartements et les bureaux souterrains qui ont été aménagés à Storey's Gate. Il passe les week-ends non plus dans sa propriété de Chartwell mais aux *Chequers*.

Il arrive le vendredi dans cette résidence du Premier Ministre avec une vingtaine de personnes – secrétaires, valet, chauffeurs, policiers, projectionnistes, assistants, membres de son cabinet, visiteurs.

Il épuise à la tâche son entourage. Il fume ses énormes cigares, il boit, infatigable.

Churchill se meut, à l'aise, avec une sorte de jubilation intellectuelle, dans cette guerre qui chaque jour gagne de nouveaux espaces.

Cyrénaïque, Libye, déserts, Égypte, Érythrée, Somalie, Éthiopie, et bientôt les Balkans, la Grèce, la Crète : tous ces lieux parlent à sa mémoire d'homme de culture classique, pour qui la Méditerranée a été – est encore – le centre de la civilisation.

Le 5 janvier 1941, il célèbre la victoire des troupes du général Wavell, qui viennent de mettre en déroute l'armée italienne en s'emparant de Bardia.

Il ordonne qu'on chasse les Italiens de toute la Cyrénaïque, qu'on encercle et prenne Tobrouk, puis il change d'avis, craignant une intervention allemande en Grèce au secours des troupes italiennes menacées.

Il explique à Wavell que « le soutien à la Grèce doit désormais avoir priorité sur toutes les opérations au Moyen-Orient ».

Les généraux anglais chancellent sous ce déluge d'ordres et de contrordres, de questions.

« Churchill nous bombarde de mémorandums sur tous les sujets imaginables, petits ou grands, et nous perdons beaucoup de temps pour y répondre », commente le général Kennedy, directeur des Services des opérations militaires et de la planification.

« Ces réunions, ces *midnight follies*, se tiennent vers 21 h 30 et les séances se prolongent jusqu'à 3 heures du matin.

« L'imagination stratégique de Churchill est inépuisable et beaucoup de ses idées nous paraissent aussi farfelues qu'inexécutables... »

Mais c'est lui qui a décidé, dès le mois d'août 1940, d'envoyer les meilleures unités blindées d'Angleterre en Égypte, persuadé que Hitler ne tenterait pas de débarquer en Grande-Bretagne.

C'est lui qui, dans la nuit du 11 au 12 novembre 1940, a fait bombarder à la torpille par des biplans la base de Tarente, où s'était réfugiée la flotte italienne.

C'est lui qui, à la fin mars 1941, ordonne à la Royal Navy d'attaquer au large du cap Matapan la flotte italienne, remportant la plus grande bataille navale de la guerre en Méditerranée.

Et c'est lui qui transforme ces deux verrous – Gibraltar et Malte – en forteresses inexpugnables.

Après les réunions, aux *Chequers* ou au 10, Downing Street, Churchill se laisse aller, les yeux mi-clos, le visage enveloppé par la fumée de son cigare.

Il soliloque pendant les repas.

« Je ne déteste personne et je ne crois pas avoir d'ennemis, à part les Boches, et encore c'est professionnel ! » dit-il.

Il se moque de ces généraux italiens qui doivent être de « bons coureurs ».

Il cite le message envoyé par le général Graziani le 8 février au Duce, et décrypté par les services de renseignements anglais :

« Duce, les derniers événements ont fortement déprimé mes nerfs au point de m'empêcher d'assumer le commandement dans la plénitude de mes facultés. Je vous demande donc mon rappel et mon remplacement. »

Le général Wavell fera cent trente mille prisonniers italiens en janvier-février 1941, à Bardia, Tobrouk, Derna et Benghazi.

« Après la guerre, reprend Churchill, il faudra mettre un terme à toute effusion de sang, même si j'aimerais voir Mussolini, ce pâle imitateur de la Rome ancienne, étranglé comme Vercingétorix dans la meilleure tradition romaine. Quant à Hitler et aux chefs nazis, je les exilerai dans une île quelconque mais pas question de profaner Sainte-Hélène ! »

En fait, ces moments où Churchill s'abandonne à de libres propos lui permettent d'affronter une situation qui, dans les trois premiers mois de 1941, reste périlleuse. Car l'Angleterre est encore seule comme nation face à l'Empire nazi qui contrôle une bonne partie de l'Europe continentale et dont les troupes s'apprêtent à déferler dans les Balkans, en Grèce, en Cyrénaïque.

Churchill à chaque instant doit analyser, trancher, choisir entre des priorités :

« Aucun de nos problèmes, dira-t-il, ne pouvait être résolu indépendamment des autres. Ce que l'on affectait à un théâtre d'opérations devait être soustrait à un autre ; ouvrir un front quelque part c'était s'exposer à un risque ailleurs ; nos ressources matérielles étaient strictement limitées, et l'attitude d'une douzaine de puissances amicales, opportunistes ou potentiellement hostiles, était imprévisible. En métropole, nous devions faire face au péril sous-marin, à la menace d'invasion et à la poursuite du *Blitz* ; il nous fallait aussi conduire une série de campagnes au Moyen-Orient, et enfin constituer un front contre l'Allemagne dans les Balkans. »

Churchill estime que seules l'aide puis l'entrée en guerre des États-Unis lui permettront de desserrer l'étau nazi.

Il doit donc faire pression sur le président Roosevelt, sur l'opinion américaine, enrôler dans cette campagne de « propagande » Graham Greene, Alfred Hitchcock et le philosophe Isaiah Berlin, invités à donner des conférences, à publier des articles, à affirmer l'« unité des peuples de langue anglaise ».

Puisque le roi George VI est populaire aux États-Unis, Churchill demande à ce que l'on utilise le bombardement du

Le roi George VI d'Angleterre et sa femme la reine Élisabeth devant les ruines d'une aile de Buckingham Palace à la suite d'un bombardement allemand.

palais de Buckingham par la Luftwaffe pour mobiliser l'opinion américaine.

« Comprenez, dit Churchill à de Gaulle, que le bombardement d'Oxford, de Coventry, de Canterbury, provoquera aux États-Unis une telle vague d'indignation qu'ils entreront dans la guerre. »

Illusion, Roosevelt tient compte de l'état de l'opinion, décidée à rester hors du conflit.

Le président agit donc avec prudence, décidé à aider l'Angleterre sans s'engager directement dans la guerre.

Churchill lui adresse lettre sur lettre.

Le 7 décembre 1940, il dicte au cours de deux nuits une longue missive dont l'argumentation, le ton résolu mais aussi pathétique doivent bouleverser Roosevelt, lui expliquer en détail ce que l'Angleterre attend des États-Unis. Des armes, des tanks, des navires, deux mille avions supplémentaires chaque mois.

Car il y a communauté d'intérêts entre l'Angleterre et les États-Unis.

« Soyez assurés que nous sommes prêts aux souffrances et aux sacrifices ultimes dans l'intérêt de la Cause et que nous nous faisons gloire d'en être les champions, écrit Churchill.

« Si comme je le pense, vous êtes convaincu, monsieur le Président, que la défaite de la tyrannie nazie et fasciste est une affaire suprêmement importante pour les États-Unis et l'hémisphère occidental, vous voudrez bien considérer cette lettre non comme un appel à l'aide mais comme l'énoncé des mesures minimales nécessaires à l'accomplissement de notre tâche commune. »

Roosevelt est touché, se tourne vers l'opinion publique, affirmant dans de nombreuses interventions que le meilleur moyen pour les États-Unis de ne pas entrer en guerre, c'est d'aider « les nations qui résistent aux attaques de l'Axe plutôt que d'accepter leur défaite ».

Le 5 janvier 1941, il désigne un ambassadeur auprès du... maréchal Pétain. Ce sera l'amiral Leahy, dont la mission est de conforter le gouvernement de Vichy, afin qu'il reste hors du conflit.

Le 6 janvier, il envoie à Londres l'un de ses plus proches conseillers, Harry Hopkins, chargé d'évaluer les besoins anglais et de mesurer la capacité de Churchill à résister à l'Allemagne.

Harry Hopkins est entraîné par l'énergique tourbillon que provoque Churchill. Il est séduit, admiratif, convaincu qu'il faut aider l'Angleterre, lui fournir des destroyers, des tanks, des hydravions, des bombardiers B17.

Si les Anglais ne peuvent payer, ils régleront leurs dettes plus tard.

Roosevelt le confirme dans une allocution :

« Imaginez que la maison de mon voisin soit en feu et que j'aie un tuyau d'arrosage, dit-il, je ne vais pas le lui vendre, je le lui prêterai et il me le rendra lorsque son incendie sera éteint. »

On passe ainsi de la loi *Cash and Carry* à la loi *Prêt-Bail* adoptée en mars 1941 par le Congrès.

C'est un grand pas vers la participation des États-Unis à la guerre.

Et la conviction, l'obstination, l'intelligence, la foi de Churchill ont joué un rôle déterminant dans l'évolution de Roosevelt.

« Les gens sont stupéfiants, écrit Hopkins au président. Et si le courage suffisait pour gagner une guerre, ce serait déjà chose faite. Le gouvernement, c'est Churchill, lui seul assume la direction de la haute stratégie et il veille souvent aux détails. Jamais il ne flanche, jamais il ne trahit le moindre découragement.

« Jusqu'à quatre heures du matin, il a arpenté la pièce où nous étions, m'exposant ses plans offensifs et défensifs. C'est la force motrice qui anime pour l'essentiel la stratégie et la conduite générale de la guerre. »

Il est la figure de proue du peuple anglais dont Hopkins exalte le courage et la volonté de résistance.

« Il faudra autre chose que la mort de quelques centaines de milliers de personnes pour vaincre la Grande-Bretagne, dit-il. Si nous agissons hardiment et sans délai, je suis persuadé que le matériel que nous enverrons à la Grande-Bretagne pendant les semaines qui vont suivre constituera l'appoint de forces nécessaire pour abattre Hitler. »

Hopkins s'illusionne : dans l'année 1941, Hitler est au faîte de sa puissance, et pour briser la force nazie, il faudra plus que du matériel, l'engagement de millions d'hommes, Américains et Russes. Churchill le sait. Mais il a commencé à nouer une alliance décisive avec les États-Unis.

À partir du mois de janvier 1941, des réunions secrètes entre les états-majors anglais et américain ont lieu à Washington.

On y évoque la stratégie à adopter si l'Angleterre et les États-Unis se trouvaient engagés dans une guerre contre l'Allemagne et le Japon.

Dans ce cas, la priorité serait donnée à la guerre contre l'Allemagne.

On établit une coopération entre les services de renseignements des deux nations.

Ils vont mener une lutte contre les agents de l'Axe.

Or l'Angleterre possède un atout maître dans cette guerre de l'ombre dont Churchill sait en historien, en combattant, le rôle décisif qu'elle joue.

Ainsi Churchill se déplace toujours avec une grande boîte en cuir rouge et, plusieurs fois par jour, il demande, d'un ton anxieux et autoritaire : « Où sont mes œufs ? »

Seuls quelques très rares initiés savent que Churchill nomme ainsi les *décodeurs* qui ont réussi à briser les codes secrets de la Luftwaffe, de la Kriegsmarine, et qui s'acharnent à percer ceux de la Wehrmacht.

Ces « décodeurs » qui pondent des « œufs d'or » sont installés dans le manoir de Bletchley et ses dépendances, situés dans un parc immense à 80 kilomètres au nord-ouest de Londres.

Des centaines de professeurs et d'étudiants d'Oxford et de Cambridge, de mathématiciens, d'inventeurs d'un prototype *Colossus* qu'on commence à appeler « ordinateur », traitent chaque jour des centaines de messages cryptés par la machine allemande *Enigma*, qui est capable de coder les messages en opérant deux cents millions de transpositions.

Polonais et Français, on le sait, ont décrypté ces messages, et ont transmis leur découverte d'*Enigma* aux Anglais de Bletchley Park. Et Churchill aussitôt se passionne pour ce « TOP SECRET ULTRA » – on dira le système ULTRA.

À tout instant, il veut connaître les « œufs d'or » pondus par les décodeurs, et découvrir ainsi la stratégie allemande.

Dans le « *secret circle* », le major Desmond Morton décide de la diffusion de tel ou tel renseignement et veille à ne pas alerter les Allemands, en révélant par une disposition prise sur le terrain qu'on lit leurs messages codés.

Et les Allemands, pendant toute l'année 1940, ont percé le code de la Royal Navy, et celui de la Merchant Navy.

Mais la supériorité anglaise est flagrante, et Churchill s'emploie à la conserver, à utiliser à chaque instant les données qu'elle fournit, et à collecter celles que recueillent les services de renseignements, le Special Operations Executive (SOE), le Military Intelligence 5 (MI5) chargé du contre-espionnage et opérant sur le territoire britannique, et le Military Intelligence 6 (MI6), service de renseignements fonctionnant à l'étranger.

Churchill veut maîtriser cette « guerre de l'ombre », cette « quatrième arme » dont il pense, en ce début d'année 1941, qu'elle sera décisive.

Car il le sent, il le sait, il le veut – les théâtres d'opérations vont se multiplier – la guerre va devenir mondiale.

Et la « quatrième arme », le système ULTRA, permettra à l'Angleterre d'être la clé de voûte de la Grande Alliance, qui se constituera contre l'Allemagne nazie et ses alliés.

Grande Alliance : en souvenir de la Grande Coalition constituée par le duc de Marlborough, l'ancêtre de Churchill, contre Louis XIV.

Winston Churchill est heureux d'être, comme Marlborough, à la barre de la glorieuse et indestructible Angleterre.

2.

L'Angleterre ?

Hitler répète ce nom en s'esclaffant.

Il est debout au centre de ce cercle que forment autour de lui, en cette soirée de Noël de l'année 1940, une centaine de soldats et d'officiers de la Wehrmacht, têtes nues.

Ces hommes rient lorsque Hitler frappe dans ses mains comme s'il venait d'attraper, d'écraser une mouche.

Le Führer fait quelques pas au milieu des soldats, les invite d'un grand geste des bras à s'asseoir à leurs places, à ces longues tables recouvertes de nappes en papier.

L'on a dressé le couvert pour ce réveillon de Noël que le Führer a voulu passer avec ses soldats cantonnés sur les côtes de la Manche, non loin de Dunkerque, face à l'Angleterre.

Les soldats ne le quittent pas des yeux et il esquisse un pas de danse.

L'Angleterre ?

« Après l'achèvement de notre conquête, dit Hitler, tout à coup grave, les yeux mi-clos, le visage inspiré, le menton levé, l'Empire britannique sera comparable à un domaine mis en liquidation pour cause de faillite ; un domaine de quarante millions de kilomètres carrés... Jusqu'ici, une minorité de 45 millions d'Anglais a gouverné les 600 millions d'habitants que compte l'Empire britannique. L'Allemagne va écraser cette minorité. »

Les soldats acclament Hitler, cependant qu'il s'installe avec ses généraux à une longue table, placée sur une estrade.

Il est encore debout, il lève le bras, et les soldats crient *Sieg Heil*, répondent à son salut, *Heil Hitler*.

Puis ils se mettent à chanter et leurs voix sont si fortes qu'elles semblent capables de faire trembler cet immense hangar éclairé par des torches.

Hitler s'assoit, pose les deux mains à plat sur la nappe brodée, puis il se fige, le buste droit, le regard fixe, comme perdu dans un songe.

Il se souvient de cette rencontre, à Berlin, à la mi-novembre 1940 avec Molotov, le ministre des Affaires étrangères de la Russie soviétique.

Il n'a pas supporté ce petit homme râblé au visage fermé, semblant ne pas entendre les propos qu'il lui tenait.

Molotov se contentait de répéter les revendications de Staline. C'est peu après que Hitler a dit à ses généraux :

« Staline est un homme habile et retors, un maître chanteur cynique, aux exigences insatiables. Il demandera toujours davantage. Conclusion, la Russie doit être réduite à merci le plus tôt possible. »

Dès le mois de juillet 1940, alors que les *Luftflotten* de bombardiers commençaient leurs raids quotidiens sur l'Angleterre, Hitler avait lancé les premières études en vue d'une attaque de la Russie.

C'est la vieille ennemie, celle des chevaliers Teutoniques, là est le *Lebensraum*, l'espace vital, celui dont Hitler a tracé la carte dans *Mein Kampf*.

Là se terre le dangereux conquérant « judéo-bolchevique » qui veut poser sa patte d'ours sur les champs pétrolifères de Roumanie, sur la Baltique, sur les Balkans.

Il faut le détruire.

C'est le 18 décembre 1940 que Hitler a approuvé la Directive n° 21, un document RIGOUREUSEMENT SECRET portant l'en-tête OPÉRATION BARBAROSSA.

Barberousse : Hitler a voulu qu'on donnât à cette « opération » le surnom de l'empereur allemand du XIIe siècle, Frédéric Ier. *Barberousse*, le pacificateur de l'Allemagne, le croisé chevauchant aux côtés de Philippe Auguste et de Richard Cœur de Lion. Il s'est noyé dans la traversée d'un fleuve, mais on dit qu'il repose dans une montagne de Thuringe, attendant de resurgir afin de rendre sa grandeur à l'Allemagne.

Barbarossa !

« *Grand quartier général du Führer, 18 décembre 1940.*

« Les forces armées du Reich allemand doivent se disposer à écraser la Russie soviétique en une brève campagne avant la conclusion des hostilités contre l'Angleterre.

« Pour atteindre ce but, l'armée affectera à l'opération *Barbarossa* toutes ses unités disponibles… Les préliminaires de l'opération devront être achevés le 15 mai 1941.

« Afin que leur objet ne puisse être décelé, il est essentiel d'observer le plus grand secret… »

Le plan de bataille est prêt.

« En Russie occidentale, le gros de l'armée Rouge devra être détruit par d'audacieuses manœuvres comportant des trouées en profondeur exécutées par des unités blindées.

« Le repli des troupes ennemies intactes à travers les vastes espaces de la Russie sera empêché.

« L'objectif ultime de cette première offensive est de créer une ligne de défense s'étendant de la Volga à Arkhangelsk.

« La capture de Moscou représentera une victoire politique et économique dont l'importance dépassera de loin la possession du centre ferroviaire numéro 1 de la Russie. »

Plus tard, des années plus tard, alors que Hitler survit, enfoui à Berlin dans le bunker de la Chancellerie du Reich, et que la capitale n'est plus qu'un champ de ruines à portée de canon des chars soviétiques…

Adolf Hitler.

Plus tard, en février-mars 1945, Hitler reviendra sur ces jours de la fin de l'année 1940 et des premières semaines du mois de janvier 1941.

Il parlera, les yeux morts, comme si sa parole se déroulait malgré lui, telle une bande enregistrée qui se dévide, sans qu'aucune volonté vienne l'accélérer ou l'interrompre.

Martin Bormann, le général SS devenu le secrétaire particulier de Hitler, ne quittant pas le Führer du regard, écoute, prend note :

« Je n'eus pas de décision plus difficile à prendre que celle d'attaquer la Russie, commence Hitler d'un ton monocorde. J'avais toujours soutenu qu'il nous faudrait éviter à tout prix une guerre sur deux fronts ; en outre, personne ne peut mettre en doute que plus que quiconque, j'ai longuement réfléchi aux expériences russes de Napoléon. Pourquoi alors cette guerre contre la Russie, et pourquoi le moment choisi par moi ? »

Hitler parle, parle, revenant sur les raisons qui l'ont poussé en décembre 1940, en janvier et en février 1941, à mettre en route l'opération *Barbarossa*.

Il accuse cette Angleterre, « gouvernée par des chefs stupides », qui refuse de « conclure avec nous une paix sans victoire », qui mise sur l'engagement dans la guerre de la Russie, qui compte sur les États-Unis, sur l'importance de « leur potentiel ».

Il fallait donc d'abord retirer aux Anglais leur espoir dans l'armée Rouge.

Hitler lève le poing pour accompagner son plaidoyer.

« La Russie présentait pour nous un immense danger du seul fait de son existence, dit-il. C'eût été fatal pour nous qu'il lui fût venu quelque jour l'idée de nous attaquer. »

Il s'interrompt, reprend avec la voix encore plus sourde :

« Nous n'avions pas le choix, c'était pour nous une obligation inéluctable que d'éliminer le pion russe de l'échiquier européen. »

Il entre la tête dans les épaules, puis son corps se tasse, s'affaisse.

« Notre seule chance de vaincre la Russie consistait à la devancer. »

Il reste un moment silencieux, puis :

« Pourquoi 1941 ? Parce qu'il fallait attendre le moins longtemps possible, d'autant plus que nos ennemis de l'Ouest augmentaient constamment leur potentiel de combat. En conséquence, le temps travaillait contre nous sur les deux fronts... J'étais obsédé par la peur que Staline pût me devancer. »

Hitler ne peut expliquer à Martin Bormann qu'en fait l'imagination le guidait. Il avait la conviction que l'attaque contre la Russie allait, comme un coup de dés gagnant, lui permettre de dépouiller les autres joueurs, Staline bien sûr, mais aussi Churchill qui espérait l'entrée en guerre de la Russie.

Pour vaincre Londres, il fallait détruire Moscou !
Il n'y avait pas d'autre stratégie.

Il avait écouté ceux qui, comme l'amiral Raeder et aussi le Reichsmarschall Goering, prétendaient qu'il fallait frapper la Grande-Bretagne en Méditerranée :

« Elle a toujours regardé la Méditerranée comme le pivot de son Empire », répétait Raeder.

Mais les Italiens de Mussolini qui avaient attaqué les Britanniques capitulaient partout, en Cyrénaïque, en Libye, en Somalie, en Érythrée, en Éthiopie.

Leurs soldats étaient ces prisonniers en loques dont les longues files s'étiraient entre les dunes du désert !

Et il faudrait tenter de les sauver, là, sur les terres africaines mais aussi en Grèce, où leurs troupes reculaient, poursuivies jusqu'en Albanie !

On ne pouvait compter que sur le soldat allemand, fils héroïque de la nation germanique.

Hitler s'était adressé à Franco, invitant le Caudillo espagnol à rejoindre l'Allemagne et l'Italie, à donner l'assaut contre Gibraltar :

« Une chose est essentielle, Caudillo, avait déclaré Hitler : parler net. La vie et la mort sont les enjeux de notre combat et à pareille heure nous ne pouvons plus faire de cadeaux. La lutte que mènent l'Allemagne et l'Italie décidera du sort de l'Espagne autant que du leur. Seule la victoire de l'Axe permettra la survivance de votre régime actuel. »

Mais Franco était aussi habile et retors que Staline ! Il assurait Hitler de son « absolue loyauté », tout en gardant d'excellentes relations avec l'ambassadeur britannique Samuel Hoare. Et surtout, il consultait les cartes de la Cyrénaïque qui, tenues à jour, permettaient de suivre le recul des troupes italiennes devant l'offensive anglaise du général Wavell !

Pourquoi s'engager militairement aux côtés de l'Axe, alors que les généraux italiens et le plus glorieux d'entre eux, Graziani, prenaient leurs jambes à leur cou ?

Hitler n'était pas dupe du « fastidieux boniment espagnol ».
Il l'écrit à Mussolini :
« En un mot comme en cent, l'Espagne ne veut pas faire la guerre avec nous et ne la fera pas. Ce refus est extrêmement fâcheux, car il nous frustre, momentanément, du moyen le plus direct de frapper l'Angleterre dans son domaine méditerranéen. »

En fait, Hitler a le sentiment que les événements – la défaite italienne, le refus du général Franco, les ruses et les ambitions de Staline, l'obstination stupide de Churchill –, le destin lui signifiaient que la seule route qui s'offrait à lui était celle de la guerre contre la Russie.

Il avait choisi l'opération *Barbarossa*, il y avait quelques semaines.

Maintenant, le destin la désignait comme nécessaire, inéluctable.

Le 8 janvier 1941, le Führer réunit dans son nid d'aigle du Berghof son Conseil de guerre.

La neige qui couvre les pentes et les cimes de l'Obersalzberg étincelle, tant la lumière du soleil est éclatante.

Au Berghof, on est dans la pureté du ciel.

Le brouillard et les nuages forment une couche grisâtre qui masque les vallées, les villages, Berchtesgaden.

L'air est vif.

En marchant sur la terrasse ensoleillée du Berghof, on a l'impression de le déchirer, de le froisser. Il fait un froid sec.

Les généraux et les amiraux, de Halder à Raeder et à Goering, se pressent autour du Führer.

Il exulte, évoque tout en allant et venant sur la terrasse les richesses fabuleuses que contiennent les immenses espaces de la Russie.

« En trois semaines, nous serons à Saint-Pétersbourg, dit-il. Et quand la Russie s'effondrera, le Japon pourra enfin entreprendre cette expansion vers le sud, toujours repoussée par crainte de la menace soviétique. Quant à l'Allemagne, elle doit dominer la Russie sans l'annexer, elle pourra faire la guerre à d'autres continents. »

On s'installe dans l'une des grandes salles de réunion du Berghof.

« Notre situation en Europe ne risque plus de s'altérer, commence Hitler, même si la totalité de l'Afrique du Nord nous échappe. Notre position est si fermement assise qu'une issue défavorable est devenue impossible. La

Grande-Bretagne ne peut espérer gagner la guerre qu'en nous battant sur le continent, éventualité tout aussi impossible. »

Il dévisage ces généraux, raides dans leurs uniformes. Et leur présence, leur soumission l'exaltent.

Lui, Adolf Hitler, il les domine, il les conduit, comme une meute disciplinée.

Et c'est ce qu'ils sont, des chiens de chasse, auxquels il faut un maître qu'ils craignent.

« Il est d'importance capitale pour l'issue de la guerre d'éviter l'effondrement définitif de l'Italie », reprend-il.

Il est donc résolu à l'empêcher d'abandonner l'Égypte, ce qui entraînerait une sérieuse chute de prestige pour les puissances de l'Axe. « Il faut donc lui prêter main-forte. »

Il pense au général Rommel, pour commander les unités qui interviendront en Afrique.

Erwin Rommel.

« L'*Afrikakorps* », murmure-t-il.

Il va convoquer Rommel.

« Les Italiens, ajoute-t-il, il faut les laisser dans l'ignorance de mes décisions. Il y a lieu de craindre que la famille royale italienne ne communique des renseignements à Londres ! »

Il exige donc le silence sur l'opération *Barbarossa*, mais aussi sur l'envoi de troupes allemandes en Libye, sur l'opération *Marita*, qui sera déclenchée le 26 mars et concernera l'envoi de divisions allemandes en Grèce.

Car il faut en finir avec cette offensive grecque et cette débandade italienne.

Jamais, depuis l'été 1940, Hitler n'a paru aussi sûr de lui.
Les généraux sont fascinés, silencieux.

« Si la France devient embarrassante, il nous faudra l'écraser complètement, ajoute Hitler. Ce sera l'opération *Attila*. On envahira la zone non occupée, on s'emparera de la flotte française, ancrée à Toulon. »

Hitler ressemble à un prestidigitateur ne cessant de sortir de son chapeau des rubans multicolores ou des lapins blancs. Il y aura une opération *Tournesol* pour soutenir les Italiens en Tripolitaine, et une opération *Violette des Alpes* pour les secourir en Albanie, où ils tentent de résister aux Grecs !

Maintenant, il peut conclure la dernière réunion de ce Conseil de guerre commencé le 8 janvier 1941 et terminé le 10.
« Si les États-Unis et la Russie nous font la guerre, la situation se compliquera », dit-il.
Mais il lève et secoue ses mains comme s'il venait de déchirer cette hypothèse et la dispersait en confettis insignifiants.
« D'où l'urgence de juguler dès à présent ces deux menaces, dit-il. Une fois la Russie éliminée – notre tâche numéro 1 –, nous serons à même de poursuivre indéfiniment les hostilités contre la Grande-Bretagne. Par ailleurs, le Japon sera grandement soulagé et les États-Unis courront un danger supplémentaire. »

Il salue, le bras droit replié, et les généraux claquent des talons.

Les 19 et 20 janvier 1941, il reçoit Mussolini et son gendre, ministre des Affaires étrangères, le comte Ciano, ainsi que des généraux italiens et allemands.
Il soliloque durant plus de deux heures.

Mussolini quittant le Berghof bougonne, le visage crispé.
« Les entrevues précédées d'un coup de sonnette ne me plaisent pas, dit-il à Ciano. Ce sont les domestiques qu'on appelle ainsi. Et quelle espèce d'entrevue ! Pendant trois

heures je dois assister à un monologue tout à fait ennuyeux et inutile. »

Le Duce se tait quelques minutes, puis ajoute d'une voix menaçante :

« Je continuerai à fortifier les cols des Alpes. Ce sera utile un jour. »

Nouveau silence, nouveau changement de ton.

Ce n'est plus celui de l'année 1934, quand le Duce s'opposait au Führer et envoyait ses divisions au col du Brenner, mais celui d'un réaliste et d'un cynique :

« Pour le moment, il n'y a rien à faire. Il faut hurler avec les loups. »

Et tous ont applaudi la prophétie inlassablement répétée par Hitler :

« Lorsque *Barbarossa* se mettra en marche, le monde retiendra son souffle. »

3.

Le général Erwin Rommel, en cette fin d'année 1940 et durant les premières semaines de janvier 1941, ignore tout des intentions du Führer.

Sa Panzerdivision est en garnison à Bordeaux. Après la « chevauchée héroïque » – ainsi décrit-on dans la presse allemande la campagne de France de Rommel à la tête de ses Panzers –, elle se réorganise, reconstitue ses forces, est soumise aux contraintes de plusieurs semaines d'instruction.

On veut espérer que la paix est proche, mais, au fond de soi, on en doute.

Archibald Wavell.

La guerre se poursuit en Cyrénaïque, en Libye, en Somalie, en Érythrée, en Grèce, en Albanie, et partout les Italiens qui sont engagés seuls sur ces immenses fronts reculent devant les Anglais du général Wavell et les Grecs.

Rommel, tout en roulant sur les routes souvent verglacées et enneigées du sud-ouest de la France, évoque ces défaites italiennes, les problèmes posés par les ambitions russes. Il ne sait rien de *Barbarossa*, mais il confie que « les exigences de la Russie dans les Balkans, en Finlande, dans les États baltes, sont assez dures. Je doute que cela fasse beaucoup notre affaire. Ils prennent tout ce qu'ils peuvent ».

Pourra-t-on longtemps les laisser agir à leur guise, et, en Afrique, en Grèce, en Albanie, accepter de ne rien faire pour empêcher les débâcles italiennes ? Rome est l'alliée de Bardia !

Mais ce ne sont que de vagues réflexions.

En fait, Rommel mène la vie paisible d'un officier de l'armée d'occupation.

Il écrit à son épouse Lu, le 6 janvier 1941 :

« J'ai reçu hier toute une pile de courrier dont vos lettres des 21 et 23 décembre. Il semble que le service de la poste redevienne normal. Cet après-midi, nous avons vu le film *Le Cœur de la reine* (Marie Stuart), que j'ai tout à fait goûté.

« Nous attendons pour demain des visiteurs de distinction qui viennent inspecter nos cantonnements.

« Nous ne sommes pas ce qu'on peut appeler confortablement installés. Les vignerons de la région passaient probablement leur vie, voici mille ans, dans les mêmes misérables taudis qu'aujourd'hui : maisons grossièrement construites en moellons de grès, avec des toits plats de tuiles rondes, exactement semblables à celles des Romains. Beaucoup de villages n'ont pas encore l'eau courante et se servent encore de puits. Aucune maison n'est aménagée en vue du froid ; les fenêtres ne ferment pas et l'air siffle à travers… Je compte prendre ma permission au début de février, d'ici là bien des choses se seront éclaircies.

« Je ne suis pas surpris que cela n'aille pas tout seul pour nos alliés en Afrique du Nord. Ils croyaient sans doute que la guerre est chose facile, et maintenant ils ont à montrer ce dont ils sont capables. En Espagne – en 1937 –, ils ont commencé exactement de la même façon, mais se sont très bien battus ensuite. »

Mais la débâcle italienne s'accentue et, alors que Rommel est depuis deux jours en permission chez lui, il est le 6 février convoqué par le commandant en chef, le maréchal von Brauchitsch.

« On me charge d'assumer le commandement d'un corps expéditionnaire, et je suis invité à me rendre en Libye dans les délais les plus brefs. »

Rommel note dans son journal.

« Dans l'après-midi, je rends visite au Führer qui me décrit en détail la situation sur le théâtre d'opérations africain : il me confie qu'on m'a désigné à lui comme l'homme le plus capable de s'adapter rapidement aux conditions particulières du théâtre d'opérations africain. Le colonel Schundt, aide de camp principal du Führer, m'accompagnerait dans mon voyage d'études. On me propose de regrouper les troupes allemandes dans la région située autour de Tripoli de manière à pouvoir les masser en vue d'une offensive ultérieure.

« Dans la soirée, le Führer me montre des journaux illustrés anglais et américains qui décrivent l'avance des troupes du général Wavell à travers la Cyrénaïque. Je suis particulièrement frappé par la parfaite coordination entre formations blindées, aviation et unités de la marine de guerre. »

Rommel est si tendu, si exalté par cette mission qu'il en oublie les douleurs rhumatismales qui le tenaillaient depuis des semaines, et que son médecin lui avait recommandé de soigner par une cure dans un pays ensoleillé, l'Égypte étant le plus approprié...

« Très chère Lu, écrit-il, le 6 février 1941.

« Atterri à Staaten à 12 h 45. Me suis présenté devant le C. en C. puis devant le F.

« Les choses vont vite. Mon barda me suit ici mais je ne pourrai prendre avec moi que le strict nécessaire.

« Je n'ai pas besoin de vous dire que mon esprit est en ébullition. Que de choses à faire ! Il faudra des mois avant que cela démarre.

« Ainsi encore une fois "notre" permission a-t-elle tourné court. Ne soyez pas triste, il devait en être ainsi. Ma nouvelle mission est très importante. »

Le lendemain, 7 février 1941, encore quelques mots à Lu :
« Dormi sur ma mission. C'est une façon d'exécuter mon ordonnance pour mes rhumatismes.
« J'ai terriblement de choses à faire pour tout rassembler dans les quelques heures qui me restent. »

Il se rend à Rome, rencontre le général Guzzoni, chef du *Commando* suprême. Le général Roatta, chef d'état-major de l'armée italienne, reçoit l'ordre de l'accompagner en Libye.
À Catane, qu'il rejoint en avion dans l'après-midi de ce 11 février 1941, il rencontre le général Geussler qui commande la Xe escadre aérienne allemande.
Les nouvelles ne sont pas rassurantes.
On ne peut plus escompter de résistance sérieuse de la part des Italiens. Il faut s'attendre à voir apparaître sous quelques jours les premières unités britanniques aux abords de Tripoli.
Rommel décide de faire bombarder Benghazi, dont le port est utilisé par les Britanniques.
Mais les Italiens s'y opposent : de nombreux officiers, des fonctionnaires possèdent des immeubles à Benghazi.
Il faut un ordre du Führer pour déclencher les attaques des bombardiers.

Le 12 février, Rommel est à Tripoli.
Il apprend que le général Graziani vient de renoncer à son commandement.
La retraite des unités italiennes s'est muée en débandade ! Les soldats, abandonnant armes et munitions, ont tenté de gagner Tripoli sur des camions surchargés. On a assisté à des scènes de désordre et de fusillade.
À Tripoli, la majorité des officiers ont bouclé leurs malles et n'espèrent plus qu'une chose : être rapatriés rapidement en Italie.

Que faire ?

« Étant donné la situation tendue et l'apathie du commandement, explique Rommel, j'ai décidé de dépasser les limites de ma mission de reconnaissance et donc de prendre, dès que possible, la direction des opérations sur le front, au plus tard après l'arrivée des premiers détachements allemands. Le général von Rintelen, attaché militaire à Rome, auquel j'ai dévoilé partiellement mes intentions, a tenté de me détourner de mon projet. Je risque, dit-il, d'y perdre mon honneur et ma réputation. »

Rommel passe outre. À bord d'un Heinkel III, il survole chaque jour le théâtre d'opérations, repère les reliefs qui peuvent servir de ligne d'arrêt à l'avance anglaise.

Il fait appel à la Luftwaffe qui réussit par ses attaques répétées à stopper les troupes de Wavell.

Le 14 février, les premiers éléments allemands débarquent à Tripoli. Six mille tonnes de matériel sont déchargées dans la nuit, à la lumière des projecteurs, prenant le risque d'une attaque de la Royal Air Force.

Dès le 16 février, les patrouilles allemandes partent en opération.

De manière à tromper les Britanniques sur l'importance des forces, Rommel fait construire des maquettes de char qui seront placées sur des châssis de Volkswagen.

L'énergie et la détermination de Rommel, son engagement physique – on le voit pousser comme un simple soldat les véhicules ensablés –, son courage enthousiasment les troupes allemandes.

« Très chère Lu, écrit-il le 17 février.

« Tout va magnifiquement pour moi et les miens sous ce beau ciel. Je m'entends très bien avec le commandement italien et ne puis désirer collaboration meilleure.

« Mes gars sont déjà au front qui a été déplacé vers l'est de 500 kilomètres environ. Maintenant, en ce qui me concerne, les autres peuvent venir ! »

Rommel aidant ses soldats à désensabler son véhicule.

Le 24 février 1941, se déroule le premier combat entre troupes britanniques et allemandes.

Ce n'est qu'une escarmouche entre quelques dizaines d'hommes, mais les véhicules anglais sont détruits et trois Anglais sont faits prisonniers.

C'est comme si une porte venait d'être ouverte.

Rommel lance ses troupes en avant, à toute vitesse, il mine les passages entre les dunes ou les marais. Il s'empare des ports.

Il avance vers l'est, vers l'Égypte.

Le 5 mars 1941, il écrit :

« Très chère Lu,

« Je rentre d'une tournée – ou plutôt d'un vol de deux jours – au front qui se trouve maintenant à 720 kilomètres à l'est ! Tout marche à merveille.

« Impossible de m'éloigner d'ici pour le moment ; je ne peux en prendre la responsabilité. Beaucoup de choses dépendent de mon action et de mon impulsion personnelles. J'espère que vous avez bien reçu quelque courrier de moi.

« Mes troupes sont en route. Ici, la vitesse est la chose qui compte avant tout. Le climat me convient parfaitement. Ma nuit de sommeil a débordé ce matin jusqu'après 6 heures.

« On a donné aujourd'hui une représentation de gala du film *Victoire à l'Ouest*, sur la campagne de France.

« En accueillant les invités nombreux, quelques-uns accompagnés de femmes, j'ai déclaré que le jour viendrait où, à notre tour, nous projetterions une *Victoire en Afrique...* »

4.

De la victoire allemande, sur tous les fronts, là où le Führer décidera d'engager ses troupes, personne ne doute à Vichy, dans le gouvernement du maréchal Pétain.

Il s'agit donc de se soumettre au vainqueur, de participer à la construction d'un « nouvel ordre européen », sous sa direction.

Il faut que la France y trouve sa place, et c'est pour cela que Pétain, le 24 octobre 1940, a rencontré Hitler à Montoire.

« Cette première rencontre entre le vainqueur et le vaincu marque le premier redressement de notre pays, a déclaré Pétain.

« C'est dans l'honneur et pour maintenir l'unité française, a-t-il poursuivi, une unité de dix siècles, dans le cadre d'une activité constructive du nouvel ordre européen, que j'entre aujourd'hui dans la voie de la collaboration.

« Cette collaboration doit être sincère... Cette politique est la mienne... C'est moi seul que l'Histoire jugera.

« Je vous ai tenu jusqu'ici le langage d'un père ; je vous tiens aujourd'hui le langage d'un chef. Suivez-moi, gardez votre confiance en la France éternelle. »

En fait, derrière cette grande perspective, il y a la volonté de Pétain, en cette fin d'année 1940 et en ces premiers jours de 1941, de garder la maîtrise de sa politique.

Le 13 décembre 1940, il a fait arrêter Laval, le vice-président du gouvernement.

Laval veut une collaboration militaire avec les Allemands, qui pourrait aller jusqu'à la guerre contre l'Angleterre.

Les Allemands obtiennent la libération de Laval et exigent depuis le mois de février 1941 sa réintégration au gouvernement.

Pétain a choisi pour remplacer Laval un notable de la IIIᵉ République défunte, Pierre-Étienne Flandin, favorable à la stricte application de l'armistice, mais refusant d'aller au-delà.

Et les nazis, par la voix de leur ambassadeur à Paris, Otto Abetz, refusent de traiter avec Flandin.

L'arrivée à Vichy, le 5 janvier, de l'amiral Leahy, ambassadeur des États-Unis, choisi par Roosevelt pour empêcher Pétain de basculer dans la collaboration militaire avec l'Allemagne, conforte le Maréchal dans sa politique « ambiguë » conduite au coup par coup.

D'un côté, Pétain exalte la « collaboration sincère », et ne veut pas heurter les Allemands ; de l'autre, il refuse de s'engager dans une guerre contre l'Angleterre.

En même temps, Pétain fait l'apologie de l'Ordre nouveau.

Le 1ᵉʳ janvier 1941, il dénonce l'individualisme, les « fausses maximes de l'égoïsme politique… La préface nécessaire à toute reconstruction, c'est l'élimination de l'individualisme destructeur… de la famille, du travail, de la patrie ».

« N'écoutez pas ceux qui chercheraient à exploiter vos misères pour désunir la nation… »

Mais, pas d'illusion, « l'hiver sera rude. Nous aurons faim… L'année 1941 doit être une année de travail acharné ».

Pétain reprend ces thèmes dans chacune de ses allocutions des premiers jours de 1941.

Il s'agit d'en finir avec l'« atmosphère malsaine » de la IIIᵉ République qui a « détendu les énergies, amolli les courages, et a conduit par les chemins fleuris du plaisir à la pire catastrophe de notre histoire ».

Ainsi se réalisera la « révolution nationale », la « régénération de la France ».

Et le prestige du maréchal Pétain est tel que, au cours de ses voyages officiels, à Toulouse, à Montauban, à Lyon, à Arles, à Marseille, à Toulon, à Avignon, les foules se rassemblent autour de lui, scandent « Vive le Maréchal ! », cependant que les « Jeunes compagnons » qui doivent obligatoirement faire un stage dans les « Chantiers de jeunesse » chantent :

> *Maréchal, nous voilà !*
> *Devant toi*
> *Le sauveur de la France*
> *Nous jurons, nous tes gars*
> *De servir et de suivre tes pas*
> *Maréchal, nous voilà !*
> *Tu nous as redonné l'espérance*
> *La Patrie renaîtra !*
> *Maréchal, Maréchal, nous voilà !*

La réalité derrière cette façade est tout autre.

Les socialistes Christian Pineau et Jean Texcier, hostiles à la collaboration et qui fondent en cette année 1941 le mouvement *Libération Nord*, se trouvent à Vichy en janvier 1941 et décrivent « l'atmosphère trouble et empoisonnée de la petite capitale de la trahison, la vaine agitation de l'hôtel du Parc, devenu siège du gouvernement ».

Une guerre sourde oppose les partisans du retour de Laval à ceux qui soutiennent Flandin, et à ceux qui poussent l'amiral Darlan.

« Invraisemblable climat de conspiration frelatée de cette grotesque scène politique », note Texcier.

Christian Pineau parcourt les rues de Vichy « encombrées d'officiers élégants, porteurs de décorations de la défaite, de fonctionnaires vêtus avec sévérité, de cette horde de jeunes femmes qui suivent toutes les grandes administrations dans leurs déplacements.

« Les boutiques de confiseries regorgent de pastilles blanches ; le bureau de tabac qui fait l'angle de l'avenue de la Gare vend des cigarettes anglaises. Aux kiosques sont affichés des journaux suisses, *La Tribune de Genève*, *La Tribune de Lausanne*. Dans les cinémas passent de vieux films américains ».

Pineau rencontre le général de La Laurencie, qui a été délégué général du gouvernement de Pétain dans les territoires occupés, après avoir siégé au tribunal militaire qui a condamné de Gaulle à mort, le 2 août 1940.

En janvier 1941, La Laurencie a changé.

« Le Maréchal est gâteux, dit-il. Les ministres sont pourris. Tout cela est trahison et compagnie. »

La Laurencie veut prendre la tête de la Résistance et constituer le gouvernement de la nouvelle République.

« Ne croyez-vous pas, dit Pineau, que le général de Gaulle... »

La Laurencie sourit avec indulgence.

« Nous le nommerons gouverneur militaire de Strasbourg... »

Il y a moins dérisoire et plus grave, plus inadmissible et plus criminel que les ambitions de La Laurencie.

Le ministre Peyrouton du gouvernement de Vichy, cédant aux pressions nazies, livre aux Allemands, le 26 décembre 1940, l'industriel Fritz Thyssen, réfugié à Nice avec sa femme. Le commissaire français chargé de les conduire à Vichy leur ment. « J'ai dit à M. et Mme Thyssen qu'il s'agissait d'examiner leur situation d'étrangers. »

Thyssen a rompu avec le nazisme après avoir contribué à l'accession de Hitler au pouvoir. Il fait confiance aux Français.

Durant le voyage, il parle librement, n'imaginant pas que l'un des passagers de la voiture est un *kriminal Kommissar* allemand.

Les Thyssen seront livrés aux nazis au pont de la Madeleine, à Moulins, sur la ligne de démarcation.

Un mois plus tard, le 29 janvier 1941, Peyrouton remet à la Gestapo l'ancien député social-démocrate Rudolf Hilferding, auteur d'un ouvrage sur *Le Capital financier*. Flandin lui avait accordé un visa de sortie de France que Peyrouton a ignoré, livrant Hilferding.

Celui-ci se serait suicidé à Paris où les nazis l'ont incarcéré.

Flandin qui a tenté de sauver Hilferding n'a trouvé aucun appui auprès du Maréchal.

Le vieillard de quatre-vingt cinq ans, digne et droit, souriant et bienveillant, embrasse les enfants que les mères lui présentent dans les jardins de l'hôtel du Parc où, à petits pas, il promène chaque jour sa noble stature. Mais il est resté insensible au sort des exilés allemands.

Le maréchal Pétain.

Pétain aime le pouvoir.

Il joue de sa surdité pour ne pas répondre à Flandin. On dit qu'il n'a qu'une ou deux heures de lucidité chaque jour et que, vite las, il s'enfonce après avoir reçu quelques visiteurs, parafé des documents, dans une indifférence et un mutisme séniles.

Mais peut-être n'est-ce là qu'un simulacre, une manière de conserver la totalité du pouvoir en se dérobant, le plus long-temps possible, en évitant de choisir entre les clans, en lais-sant chacun de ceux qui l'approchent dans l'incertitude.

Ainsi l'ambassadeur des États-Unis, l'amiral Leahy, s'ef-force-t-il de gagner sa confiance.

Pétain constitue pour le moment, estime-t-on à Washington, « le seul élément puissant du gouvernement français, ferme-ment résolu à ne pas passer à l'Allemagne ».

Et les apparences vont dans ce sens.

Pétain n'a-t-il pas renvoyé Laval ? Ne résiste-t-il pas aux pressions nazies, et particulièrement à celles exercées par Otto Abetz, le « petit jeune homme de la rue de Lille », l'am-bassadeur de Hitler à Paris – rue de Lille, là où se situe l'am-bassade allemande !

Pétain semble avoir d'autant plus de mérite que, autour de lui, on assure que les Allemands sont prêts à la rupture, qu'ils vont se venger sur le million et demi de prisonniers qu'ils détiennent.

Ils affament Paris. Ils rendent le franchissement de la ligne de démarcation difficile, même des ministres de Pétain sont refoulés.

Brinon, l'« ambassadeur » de Pétain à Paris, écrit au Maré-chal le 11 janvier 1941 :

« Notre pays est mis aujourd'hui devant le dilemme : colla-boration selon les vues allemandes ou anéantissement… C'est le jugement du Führer lui-même et par là c'est la déci-sion de toute l'Allemagne. »

L'historien Benoist-Méchin, délégué permanent à Berlin de l'ambassadeur des prisonniers Scapini, obtient un laissez-passer pour se rendre auprès de Pétain à Vichy afin de lui décrire le désespoir des prisonniers :

« Nous tendions nos bras vers eux mais nos bras ne pouvaient plus se rejoindre. »

Pétain cède et, sans en avertir Flandin, il accepte de rencontrer Laval, le samedi 18 janvier 1941, tout en confiant à l'un de ses proches :

« Je ne prendrai aucun engagement à l'égard de Laval, l'entretien est un geste, rien qu'un geste. »

C'est un épisode rocambolesque.

Pétain part en voiture de Vichy, comme pour une longue promenade. Son train spécial l'attend à quelques kilomètres et le conduit à La Ferté-Hauterive, où s'impatiente Pierre Laval.

La conversation est pleine d'esquives. Chacun des interlocuteurs ruse.

« Mais enfin, pourquoi m'avez-vous fait arrêter, monsieur le Maréchal ? demande Laval.

– Parce que vous ne me renseigniez pas, rétorque Pétain.

– Je n'ai fait que cela pendant cinq mois.

– Vous ne m'avez jamais émis de rapports, oui, de rapports écrits. Ce que je veux, ce sont des rapports écrits. Je suis un militaire. C'est ma méthode et vous n'avez jamais voulu me remettre de rapports écrits. »

À ce jeu, dérisoire quand on pense à la situation de la France, aux conditions de vie des Français, à l'avenir qui se dessine, Laval est plus retors.

« Au fond, rien de grave ne nous oppose », dit-il à Pétain.

On rédige un communiqué qui efface la signification de l'arrestation de Laval le 13 décembre :

« Le maréchal Pétain, chef de l'État, a rencontré le président Laval. Ils ont eu un long entretien au cours duquel ont été dissipés les dissentiments qui avaient amené les événements du 13 décembre. »

Pétain obtient que l'on remplace le mot *dissentiment* par celui de *malentendus*...

Il regagne Vichy satisfait mais l'un de ses proches, témoin de l'entretien, conclut :

« Le Maréchal s'est laissé rouler. Cet homme qui avait mangé du tigre s'est pris aux ressorts d'un piège à rats. »

Flandin se cabre, convoque les journalistes étrangers présents à Vichy, lève la censure, leur déclare que le Maréchal est résolu à tenir Laval écarté du pouvoir.

À Paris, Abetz se déchaîne, pousse les journalistes collaborateurs qu'il finance à dénoncer Flandin comme l'homme du double jeu « qui est considéré dans les milieux diplomatiques comme complètement déconsidéré ».

Marcel Déat, Doriot, les pronazis déclarés, organisent des meetings, dénoncent les « réactionnaires de Vichy ».

Déat crée un nouveau parti, le *Rassemblement national populaire*, national-socialiste.

Les pressions allemandes s'accentuent.

Abetz exige le renvoi de Flandin.

« Le Führer, dit-il, envisage l'annulation de tous les laissez-passer, la fermeture absolue de la ligne de démarcation, l'interdiction d'appliquer les derniers décrets et actes constitutionnels du gouvernement en zone occupée. »

Ainsi il ne peut être question de reconnaître le *Conseil national* que vient de créer Pétain, et dans lequel se côtoient membres de l'Académie française, notabilités religieuses, artistes, anciens parlementaires, et où Jacques Doriot voisine avec le pasteur Boegner, président de la Fédération protestante de France...

Le Conseil national doit incarner l'union des Français autour du Maréchal.

En fait, jamais la guerre des clans, le heurt des ambitions n'ont été aussi forts.

Laval croit à son retour au pouvoir.

« Et le Maréchal, que devient-il dans vos projets ? lui demande-t-on.

– C'est une potiche, je le mets sur la cheminée. »

L'amiral Darlan rencontre Abetz à Paris. Il découvre que les Allemands ne tiennent pas à ce que Laval retrouve le pouvoir.

Les nazis souhaitent que demeure la rivalité entre Laval – en zone occupée – et le gouvernement de Pétain à Vichy. Ils auront ainsi un moyen de chantage.

L'amiral Darlan se prête au jeu.

Le 8 février, après un aller-retour à Paris – il est le seul ministre qui dispose d'un *ausweis*, lui permettant de franchir la ligne de démarcation –, Darlan déclare devant le Conseil des ministres :

« L'heure, messieurs, est aussi grave que celle où il a fallu se décider à demander l'armistice.

« Si nous cessons la collaboration, nous perdons tous les avantages que nous pouvons espérer de cet armistice.

Le maréchal Pétain et l'amiral Darlan dans les rues de Vichy.

« Pour ma part, mon choix est fait, je suis pour la collaboration. »

Flandin démissionne.

L'amiral Darlan devient vice-président du Conseil et successeur désigné du maréchal Pétain.

Pétain peut croire qu'il a préservé ses marges de manœuvre en écartant Flandin et Laval. Qu'il a ainsi évité de choisir et préservé son avenir.

Cette politique opportuniste du moindre mal, cachée sous les prestigieux uniformes d'un maréchal et d'un amiral, n'est que le noble déguisement de la capitulation et de la collaboration.

Ce 9 février 1941, Vichy est plus que jamais enchaîné à l'Allemagne nazie.

5.

Le choix de la collaboration fait par le gouvernement de Vichy, de Gaulle, à Londres, en ce début d'année 1941, le dénonce.

Il flétrit « les intrigues et les querelles d'esclaves des collaborateurs de l'ennemi ».

« La France, martèle-t-il, tient toutes ces vénéneuses tromperies pour ce qu'elles sont, c'est-à-dire des champignons poussés sur la pourriture du désastre. »

Il exalte les combats des Forces françaises libres de Leclerc et de Larminat, qui attaquent en Éthiopie, au Fezzan, au Tchad, en Érythrée, en Cyrénaïque.

Elles remportent des succès. Elles entrent aux côtés des Anglais dans Tobrouk. Elles sont à Mourzouk, à Kassala.

Elles bousculent les Italiens, capturent hommes et matériels.

La colonne de Leclerc s'empare de l'oasis de Koufra le 1er mars 1941. C'est le relais capital des communications aériennes italiennes entre la Tripolitaine et l'Abyssinie.

Les Italiens étaient pourtant plus nombreux, surarmés, mais ils ont été démoralisés par le survol et les attaques des avions de la France Libre, pilotés par des hommes intrépides tels Romain Gary, Pierre de Saint-Péreuse.

Romain Gary en uniforme
d'aviateur des FFL.

Le 2 mars, dans l'oasis conquise, au lever des couleurs, Leclerc harangue ses hommes :

« Koufra, c'est capital pour le Tchad, mais pour la France c'est très peu. Jurez de ne déposer les armes que lorsque nos couleurs, nos belles couleurs flotteront à nouveau sur la cathédrale de Strasbourg. »

Le 6 mars 1941, de Gaulle nomme Leclerc Compagnon de la Libération :

« Les cœurs de tous les Français sont avec vous, et avec vos troupes. Colonel Leclerc, je vous félicite en leur nom du magnifique succès de Koufra. Vous venez de prouver à l'ennemi qu'il n'en a pas fini avec l'armée française. Les glorieuses troupes du Tchad et leur chef sont sur la route de la Victoire. Je vous embrasse. »

La victoire de Keren, en Érythrée, suit celle de Koufra. Les Français Libres sont à Keren sous commandement britannique, mais ils ont joué un rôle décisif.

« J'ai vu le terrain de combat de Keren, dit de Gaulle – qui effectue en mars un long périple en Afrique équatoriale, au Tchad, en Érythrée, à Khartoum –, un terrain épouvantable. Jamais dans leur histoire les Français n'ont combattu avec plus d'élan. »

Il interpelle un ancien député socialiste qu'il a nommé gouverneur du Tchad :

« Vous avez des Anglais ici ? demande-t-il.

– Oui, mon général.

– Combien ?

– Dix-sept.

– C'est trop. »

Il observe Lapie qui paraît étonné.

« J'arrive, dit de Gaulle, décidé à ne ménager rien, d'une part pour étendre l'action, d'autre part pour sauvegarder ce qui peut l'être de la situation de la France. »

De Gaulle admire la ténacité et le patriotisme anglais, il n'oublie pas que sans eux Hitler aurait remporté la partie.

Mais il sait aussi qu'ils pensent d'abord à l'Angleterre et à son Empire, et cela signifie qu'ils lorgnent sur les possessions françaises et qu'ils mènent leur politique au gré de leurs intérêts.

Au mois de janvier, ils ont, à Londres, emprisonné l'amiral Muselier, le chef des Forces navales de la France Libre, accusé d'avoir communiqué des documents secrets à Vichy.

Il suffit de quelques jours pour qu'on découvre que les documents ont été fabriqués par des agents anglais.

Dans quel but ?

Les Anglais prétendent qu'il s'agit d'une vengeance personnelle. De Gaulle est sceptique. Londres veut peut-être affaiblir la France Libre, se ménager la possibilité de traiter avec Pétain.

Le Canada n'a-t-il pas un représentant diplomatique à Vichy et les États-Unis, un ambassadeur ? Cet amiral Leahy, qui entretient les meilleures relations avec le Maréchal, lequel dit attacher le plus grand prix à l'amitié américaine.

Leahy a rencontré plusieurs fois le nouveau vice-président du Conseil, l'amiral Darlan.

De Gaulle se défie de la succession de Laval et de Flandin.

« Je ne serais pas surpris que les Allemands voient dans cet homme la meilleure solution pour leurs propres intérêts car Darlan, qui porte l'uniforme, paraît le plus propre à camoufler sous l'équivoque, l'infamie et la collaboration. »

Les Anglais pourtant continuent de ménager les troupes de Vichy en Syrie et au Liban.

Ils se refusent à faire le blocus de ces pays du Levant, où pourtant le général Dentz, un fidèle de Pétain, accueille une mission militaire allemande.

Ils ne font rien non plus pour étouffer la base de Djibouti, aux mains des vichystes.

Que veulent-ils ? Sans doute, à l'occasion de la guerre, remplacer les Français au Levant et sur la mer Rouge !

Il faut faire face, combattre aux côtés des Anglais, être présent sur tous les champs de bataille, mais veiller à les empêcher de s'approprier ce qui appartient à la France.

La tâche est lourde.

« Il faut toujours porter sur son dos la montagne. »

Et croire à la victoire. Et serrer les poings et les dents quand on apprend que d'Estienne d'Orves, Français libre, débarqué depuis seulement un mois, a été arrêté par les Allemands, trahi par son radio.

Se souvenir que d'Estienne d'Orves avait déjà transmis une multitude de renseignements sur les positions des batteries côtières, sur les sous-marins allemands se trouvant à l'arsenal de Lorient, sur les chalutiers armés de Saint-Nazaire, et la base sous-marine en construction dans ce port.

D'Estienne d'Orves, un héros, avec lequel les Allemands se montreront impitoyables.

Un officier, un chrétien fervent qui avait voulu servir sur le sol national en dépit des réticences de De Gaulle, qui craignait qu'il ne fût rapidement identifié, arrêté, exécuté.

On assure qu'il a été transféré à Berlin, puis incarcéré dans la prison du Cherche-Midi à Paris dans l'attente de son jugement.

En ce même début d'année 1941, le plus ancien des réseaux de résistance, celui du musée de l'Homme, est démantelé par la Gestapo.

Que de sacrifices ! Que de patriotes acceptant de mettre leur vie en péril pour le service de la France !

Comment ne pas condamner ces hommes de Vichy ? Ils ont « saisi le pouvoir par un *pronunciamiento* de panique, ils ont détruit du jour au lendemain les institutions du pays, supprimé toute représentation du peuple, interdit à l'opinion de s'exprimer, ces hommes qui ont accepté non seulement la servitude mais la collaboration avec l'ennemi.

« Ils pactisent avec cette régression barbare qu'est le nazisme, alors qu'il y a un pacte vingt fois séculaire entre la grandeur de la France et la liberté du monde ! ».

La situation en ce début d'année 1941, en dépit des victoires remportées contre les troupes italiennes, en Afrique, est périlleuse.

Les troupes allemandes se concentrent à la frontière de la Roumanie, de la Hongrie, de la Yougoslavie, de la Grèce. Et surtout les premières unités allemandes commandées par le général Erwin Rommel ont débarqué à Tripoli, et ont lancé déjà des pointes offensives contre les Anglais de Wavell qui reculent.

Churchill a préféré envoyer des divisions anglaises en Grèce, dépouillant Wavell, l'empêchant d'exploiter et de consolider ses victoires en Cyrénaïque.

Rommel, à la tête de l'*Afrikakorps*, est bien capable de renverser la situation à son profit, et de menacer Le Caire et le canal de Suez, l'artère vitale de l'Empire britannique.

6.

Rommel, allant et venant sur les quais du port de Tripoli, regarde débarquer, ce 11 mars 1941, les cent vingt chars du Ve régiment de Panzers.

Il sait que « la victoire en Afrique », qu'il prédisait le 5 mars après avoir projeté ce film *Victoire à l'Ouest*, est désormais possible.

Autour des Panzers, les soldats de la garnison italienne s'exclament, admiratifs. Ils n'ont jamais vu des chars aussi puissants. Leurs officiers, si réticents jusque-là, si défaitistes, prêts à se rendre aux Anglais, se montrent enthousiastes.

Toutes les tentatives anglaises pour empêcher l'arrivée des Panzers sont restées vaines.

Ni la Royal Air Force ni la Royal Navy n'ont été capables d'interrompre la noria des navires entre l'Italie et la Libye.

Maintenant, il faut associer les quatre-vingts chars italiens de la division *Ariete* aux Panzers et foncer vers Benghazi, vers Tobrouk, vers l'Égypte, et gagner aussi Mourzouk, à environ 700 kilomètres au sud.

Le haut commandement italien a prié Rommel d'entreprendre cette opération dans la profondeur du désert, pour contenir l'avance de ces Français du général de Gaulle qui ont réussi à s'emparer de l'oasis de Koufra et de Keren.

Rommel veut comme à son habitude étudier le terrain sur lequel il va lancer ses chars.

Il le survole en avion, bloqué par une tempête de sable, les énormes nuages rouges du Ghibi qui l'obligent à atterrir, à poursuivre l'exploration en voiture ; mais le sable qui coule comme de l'eau rend le ciel opaque.

Le 19 mars, Hitler convoque Rommel à son quartier général, et le Führer lui confère les feuilles de chêne sur sa croix de fer pour récompenser ses exploits durant la campagne de France.

Hitler décorant Rommel en mars 1941.

Mais le commandant en chef de l'armée von Brauchitsch se montre abrupt et glacé, et lui donne l'ordre d'attendre avant de passer à l'offensive.

Rommel écoute, proteste, pense qu'on n'attaque jamais assez tôt, qu'il faut exploiter la faiblesse de l'ennemi, et ose même regretter qu'on n'ait pas, sur la lancée des victoires de mai 1940, débarqué en Angleterre.

En dépit des ordres reçus, Rommel rentre à Tripoli décidé à agir et il occupe les points d'eau et l'aéroport d'El-Agheila. Les Anglais se sont dérobés.

Le 26 mars, Rommel peut écrire à sa « très chère Lu » :
« Nous avons passé notre première journée au bord de la mer. C'est un endroit admirable et dans ma voiture confortable je suis aussi bien qu'à l'hôtel. Nous nous baignons le matin, il fait déjà délicieusement chaud.
« Aldinger et Guenther, mon aide de camp et mon ordonnance, logent tout près sous la tente.

« Le matin, nous faisons le café avec nos propres instruments de cuisine. Hier, un général italien, Calvi di Bergolo, m'a fait cadeau d'un burnous magnifique, bleu foncé avec de la soie rouge et des broderies. Il vous irait bien et vous ferait une belle sortie de théâtre…

« Je rentre du front. Je dois retenir mes hommes pour les empêcher de foncer. Ils ont occupé une nouvelle position à trente kilomètres. Plus à l'est. Il y aura quelques mines longues parmi nos amis italiens. »

Lorsque les avions de la Luftwaffe rapportent que les Anglais commencent à reculer, Rommel poursuit son offensive. Des colonnes de camions soulèvent des nuages de poussière afin de faire croire aux Anglais qu'ils sont face à une division de Panzers.

Ils l'imaginent d'autant plus que Rommel fait avancer le leurre qu'il a préparé, ces maquettes de Panzers posées sur des châssis de Volkswagen. Les Anglais reculent, évacuent Benghazi, la capitale de la Cyrénaïque.

Rommel conduit l'assaut, s'expose.

Là, son avion léger Storch est pris pour cible par des *bersaglieri* italiens qui croient être survolés par un appareil anglais.

Quelques jours plus tard, Rommel commande au pilote de se poser sur un champ d'atterrissage que des soldats sont en train d'aménager et, au dernier moment, le général s'aperçoit qu'il s'agit d'Anglais.

En voiture, accompagné de deux véhicules, dont l'un seulement dispose de mitrailleuses, Rommel fonce au milieu d'un rassemblement d'automitrailleuses britanniques qui se dispersent, leurs équipages persuadés qu'ils sont l'objet d'une attaque de Panzers.

Plus loin, des avions anglais volant en rase-mottes attaquent à deux reprises la voiture de Rommel et le détachement de sécurité qui l'accompagne. Son chauffeur, son estafette motocycliste sont tués et Rommel prend lui-même le volant pour rejoindre son poste de commandement.

L'offensive se poursuit.

Rommel ne dispose plus que d'une cinquantaine de chars, mais il compense ses maigres effectifs par la mobilité et la ruse. La chance aussi : les Allemands capturent la presque totalité de l'état-major britannique !

Il devine qu'à Berlin, on condamne ses initiatives.

On lui rapporte que le général Halder a déclaré que Rommel est devenu « complètement fou », qu'il a une « ambition pathologique ».

Rommel se justifie :

« Jamais encore au cours d'une guerre moderne on n'a lancé une offensive aussi improvisée. L'opération exige le maximum d'initiatives de la part du commandement et des troupes… L'énergie déployée par un chef a souvent plus d'importance que ses dons intellectuels. Voilà ce que les officiers imbus de théories ne comprennent pas ; mais pour un esprit pratique, c'est l'évidence.

« À dater du jour où un contact étroit s'établit entre mes troupes et moi, les soldats accomplissent tout ce que j'exige d'eux… »

Presque chaque jour, il griffonne dans son véhicule des lettres à Lu.

En ce début du mois d'avril 1941, l'Afrique semble se donner à lui, et la « guerre éclair » – la *Blitzkrieg* – lui rappelle la campagne de France d'il y a un an à peine.

Le 3 avril, il écrit :

« Nous attaquons depuis le 31 mars avec un succès étonnant… Le Führer m'a envoyé ses félicitations pour ce succès imprévu ainsi que ses instructions pour les opérations prochaines. Celles-ci concordent entièrement avec mes idées… »

Le 5 avril, il raconte :

« Ce matin, départ à 4 heures. Le front d'Afrique est en mouvement. Espérons que le grand coup que nous frappons maintenant réussira. Je continue à très bien me porter. La vie simple d'ici me convient mieux que la bonne chère de France. Comment allez-vous tous les deux ? »

Le 10 avril, Tobrouk. La place forte tenue par les Britanniques est en vue.

« J'ai atteint la mer avant-hier soir après une longue marche à travers le désert, écrit-il à Lu. Il me semble merveilleux d'être parvenu jusqu'ici malgré les Anglais.

« Je vais bien. Ma caravane est enfin arrivée au début de la matinée et j'espère pouvoir y coucher de nouveau. »

Le 11 avril 1941, Rommel a donc chassé les Anglais de Cyrénaïque. Ils ont été ramenés en Égypte, à l'exception d'un petit détachement enfermé dans Tobrouk.

Tous les succès du général Wavell contre les Italiens obtenus dans les trois premiers mois de l'année 1941 sont effacés.

Le 22 avril, les généraux italiens Garibaldi et Roatta, accompagnés par Teruzzi, ministre du Duce, décorent Rommel de la « médaille de la bravoure » et de la croix « pour le mérite ».

« Mais tous ces hochets ont si peu d'importance dans la vie que nous menons, note Rommel. J'ai pu dormir tout mon content, au cours de ces derniers jours, de sorte que me voilà de nouveau parfaitement dispos.

« Une fois Tobrouk tombé, ce qui sera, je l'espère, dans dix ou quinze jours, notre situation deviendra très solide. Nous prendrons alors quelques semaines de repos avant d'entreprendre autre chose.

« Comment allez-vous tous les deux ?

« Il doit y avoir un tas de courrier au fond de la Méditerranée...

« P-S : Pâques a passé sans qu'on s'en aperçoive... »

« La bataille pour l'Égypte et le Canal est maintenant sérieusement engagée, écrit Rommel le 25 avril, et notre rude adversaire se défend de toutes ses forces. »

Il ajoute :

« En Grèce, ce sera sans doute rapidement réglé maintenant. »

Depuis le 6 avril 1941, note Rommel, les troupes allemandes sont entrées en Yougoslavie et en Grèce.

Et les Balkans sont en feu.

7.

Rommel ne s'est pas trompé.

Il a suffi de trois semaines pour que les Panzerdivisionen du Feldmarschall von Kleist entrent le 27 avril 1941 à Athènes et hissent le drapeau à croix gammée au sommet du Parthénon.

L'armée grecque n'était plus qu'un troupeau de plus de 200 000 têtes, accablée, désespérée, humiliée, contrainte à la reddition. Et les 680 000 soldats allemands de la XIIe armée du Feldmarschall von List dominaient les États balkaniques – Bulgarie, Hongrie, Roumanie –, occupaient la Yougoslavie, et naturellement depuis octobre 1939 la Pologne.

Les 55 000 Anglais débarqués en Grèce sur l'ordre de Churchill afin de soutenir, à compter du mois de février 1941, les Grecs qui refoulaient partout les armées italiennes en déroute devaient maintenant, avec quelques milliers de Grecs, rembarquer, sous les bombardements de la Luftwaffe.

C'était Dunkerque en mer Égée, la fuite vers la Crète. Et en ces mois d'avril-mai 1941, c'était donc un second printemps de guerre triomphal que pouvait fêter le Führer.

Et il le fait, le 4 mai 1941, dans un discours prononcé au Reichstag, grandiloquent et sarcastique, déchaînant l'enthousiasme lorsqu'il fustige Churchill et les Juifs.

Adolf Hitler au Reichstag le 4 mai 1941.

« Churchill stratège amateur, dit-il la voix rauque, est l'être le plus assoiffé de carnage que l'Histoire ait connu… Depuis plus de cinq ans, avec une obstination de maniaque, il cherche d'un bout à l'autre de l'Europe quelque chose à incendier…

« En tant que soldat c'est un mauvais politicien, en tant que politicien un mauvais soldat… Mais M. Churchill possède cependant un don remarquable, celui de mentir en affectant une pieuse impassibilité et de présenter les plus terribles défaites sous couleur de glorieuses victoires…

« Cet incurable touche-à-tout qui se mêle de stratégie vient ainsi de perdre sa mise sur deux tableaux à la fois : la Grèce et la Yougoslavie.

« Dans tout autre pays que l'Angleterre Churchill serait traduit en Haute Cour…

« L'état anormal de son cerveau ne peut s'expliquer que par une atteinte de paralysie générale et ses divagations par l'ivrognerie. »

Avril-mai 1941 : second printemps de guerre accablant pour l'Angleterre.

Les troupes de Rommel avancent vers l'Égypte.
L'Angleterre est toujours seule.
Et Churchill, ce même 4 mai où Adolf Hitler le traite de fou, d'incapable, de menteur et d'ivrogne, lance un nouvel appel au secours au président Roosevelt :
« Si nous perdons l'Égypte et le Moyen-Orient, lui écrit-il, la poursuite de la guerre deviendra une longue, décevante et dure entreprise. »

Mais aux États-Unis même, le héros national Charles Lindbergh, célèbre pour avoir en 1927, à bord de son avion *Spirit of St Louis*, volé le premier d'une rive de l'Atlantique à l'autre, et animateur du Comité *America First*, mène campagne contre Churchill, pour la neutralité de l'Amérique.

Charles Lindbergh.

Il rentre d'un voyage en Allemagne en ce printemps de 1941. Il déclare devant plusieurs milliers de personnes :
« Le gouvernement britannique trame en ce moment une dernière manœuvre désespérée : nous mener à envoyer une seconde fois en Europe un corps expéditionnaire américain, voué à partager sa faillite militaire et financière. L'Angleterre est coupable d'avoir incité les nations plus faibles à se lancer dans une bataille perdue d'avance. »
Roosevelt stigmatisera « Charles Lindbergh le défaitiste » et celui-ci démissionnera de son grade de lieutenant-colonel de réserve de l'US Air Force, mais le mal est fait.

Ce second printemps de guerre est triomphal pour Hitler.
La *Blitzkrieg*, de la Libye à la Grèce, vient une nouvelle fois de montrer son efficacité.

Et ce printemps 1941 désespère les peuples écrasés sous la domination nazie.

Les plus martyrisés sont ceux des Balkans et de Pologne. À l'ouest de l'Europe, en France, en mai-juin 1940, les officiers de la Wehrmacht étaient « corrects », assis à la terrasse du *Café de la Paix*, place de l'Opéra à Paris, ou applaudissant, en sablant le champagne, les revues dénudées du *Lido* et des *Folies-Bergère*.

Mais à l'est de l'Europe, les Polonais, les Slaves, les orthodoxes, les Juifs sont pour les Allemands des *Untermenschen*, des « sous-hommes », que les soldats pillent, violent, tuent.

Un Grec témoigne :

« Mais où est passé le traditionnel sens allemand de l'honneur ? J'ai vécu treize ans en Allemagne et personne ne m'a jamais trompé.

« Désormais, avec le Nouvel Ordre, ils sont tous devenus des voleurs. Ils vident les maisons de tout ce qui leur tape dans l'œil. Chez Pistolakis, ils ont pris les taies d'oreiller et pillé la précieuse collection d'objets crétois, mais aussi les poignées des portes !

« Ils exigent des repas gratuits dans les restaurants, arrêtent des passants dans les rues pour les débarrasser de leurs montres et de leurs bijoux. »

Ce sont de *nouveaux Allemands*, endoctrinés depuis 1933, ayant accepté que Hitler et les nazis mettent en œuvre le meurtre de masse des handicapés, des vieillards, de tous ceux dont, aux yeux des théoriciens de la race aryenne, « la vie était indigne d'être vécue ».

Le clergé catholique et les églises protestantes avaient protesté, contraint les nazis en ce printemps 1941 à interrompre cette politique d'euthanasie.

Mais soixante-dix mille personnes avaient été exterminées au gaz, et quatre cent mille stérilisées.

Entrant en Pologne, les *Einsatzgruppen* – des détachements constitués dans ce but – ont commencé à assassiner les Juifs, les notables polonais.

Mais avant de les abattre, on les martyrise, on les humilie, on les oblige à lécher les trottoirs pour les nettoyer, on arrache les poils de leur barbe.

On nie l'*humanité* de ces hommes qu'on peut donc massacrer comme on le fait d'insectes nuisibles.

Le général Gotthardt Heinrici, officier de tradition comme l'est Erwin Rommel, et non-nazi fanatique, décrit la Pologne comme le « dépotoir de l'Europe ».

Il dit à sa femme, le 24 avril 1941 :

« Cela grouille de punaises de lit et de poux, et aussi de terribles Juifs avec l'étoile de David sur le bras... Les Polonais et les Juifs servent d'esclaves, personne ici ne fait attention à eux.

« Ici, les choses se passent exactement comme dans l'Antiquité quand les Romains faisaient la conquête d'autres peuples...

« Ne serait-ce qu'en sortant dans la rue... on a déjà l'impression d'avoir attrapé des poux et des puces.

« Dans les ruelles juives, la puanteur est telle qu'il faut se moucher et se nettoyer le nez une fois dehors, uniquement pour se débarrasser de la crasse qu'on a inspirée. »

Nouveaux Allemands, nouvelle guerre qui libère partout la barbarie.

En Roumanie, après l'abdication du roi Carol, le général Antonescu prend le pouvoir et les fanatiques de la Garde de fer, et leur chef Horia Sima, s'abattent comme des rapaces sur les Juifs, saccageant les quartiers de Bucarest où ils résident, les conduisant dans les forêts pour les massacrer.

Plus de deux cents d'entre eux sont traînés dans un abattoir, dénudés, placés sur la chaîne d'abattage comme des animaux, et leurs cadavres pendus par la gorge à des crocs de boucher et étiquetés « bon pour la consommation humaine ».

Le général Antonescu rétablira l'ordre, le chef des gardes de fer, Horsa Sima, se réfugiera en Allemagne, mais la terre roumaine est rouge du sang des martyrisés… et l'Allemagne contrôle 50 % de la production de pétrole roumain.

Hitler veut dominer tous les États des Balkans. Il contraint le régent de Yougoslavie, le prince Paul, à signer un pacte de soumission à l'Allemagne.

Le 27 mars 1941, des officiers serbes patriotes renversent le régent et proclament roi le jeune héritier de dix-sept ans, Pierre II.

Hitler se déchaîne, convoque ses généraux, ordonne à Goering de réduire Belgrade en cendres, par des attaques successives de bombardiers lourds.

Le Führer éructe, annonce que la Yougoslavie sera dépecée.

« Je suis résolu à détruire la Yougoslavie sur le plan militaire et national », crie-t-il.

La Yougoslavie sera partagée entre l'Italie, la Hongrie, la Roumanie.

Les fascistes croates – les oustachis d'Ante Pavelić – ennemis des Serbes obtiennent la création d'un petit État fantoche. Et les oustachis se déchaînent contre les Juifs. Il s'agit de sauver l'Occident catholique face à la menace des Slaves orthodoxes, des bolcheviques athées, et des Juifs déicides. Les oustachis chassent de leur nouvel État deux millions de Serbes, des tsiganes et des Juifs par dizaines de milliers, pratiquant ainsi une purification ethnique.

À la fin du mois d'avril, des camps de concentration sont ouverts : on y enferme les Juifs dont on viole les femmes. On y tue les détenus à coups de marteau.

Hitler veut en finir avec la Yougoslavie. Il le répète, il le hurle.

Il dicte la *Directive 25* dans laquelle il déclare :

« La Yougoslavie, ennemie de l'Allemagne, doit être réduite à merci aussi rapidement que possible. »

Il écrit au Duce, pour l'avertir que le 6 avril les troupes allemandes attaqueront.

La Luftwaffe est chargée de l'opération *Châtiment* ! Belgrade doit être rasé. Les bombardiers déversent, volant au ras des toits d'une ville sans défense aérienne, des milliers de tonnes de bombes incendiaires.

On dénombrera au moins dix sept mille morts.

Le 13 avril, les Allemands – accompagnés de troupes hongroises – entrent dans ce qu'est devenu Belgrade : un champ de ruines.

Le 27 avril, les Panzerdivisionen atteignent Athènes.

Le pillage de la Grèce commence.

Des officiers allemands s'amusent à jeter des miettes depuis leur balcon à des bandes d'enfants, et s'esclaffent de les voir se disputer comme des chiens.

Déshumaniser le vaincu, le réduire à n'être qu'un *Untermensch*, une punaise, un pou, tel est le sens de cette nouvelle guerre dans les Balkans qui est comme la préface à l'opération *Barbarossa* contre la Russie.

Le déclenchement de *Barbarossa* a été retardé par l'attaque contre la Yougoslavie et la Grèce. Et des généraux – von Rundstedt – s'en inquiètent. Ils craignent de voir leurs troupes figées par l'hiver russe.

Hitler, le 4 mai, dans son discours au Reichstag, justifie sa décision :

« Nous avons tous été confondus par le coup d'État de Belgrade fomenté par une poignée de conspirateurs corrompus par nos adversaires.

« Le Reich ne pouvait supporter d'être traité de pareille manière.

« Vous comprenez, messieurs, pourquoi j'ai donné l'ordre d'attaquer la Yougoslavie sur-le-champ. »

Mais pour achever l'opération *Châtiment*, il faut s'emparer de l'île de Crète où les Britanniques qui ont réussi à embarquer dans les ports grecs se sont réfugiés.

Ils sont vingt-huit mille soldats anglais, australiens, néo-zélandais, renforcés par deux divisions grecques ; soit en tout une cinquantaine de milliers d'hommes.

Le 20 mai 1941, à 8 heures du matin, quelque trois mille parachutistes allemands sont lâchés dans le ciel de la Crète.

Dans les deux jours qui suivent, ils seront rejoints par une quinzaine de milliers d'hommes, largués, déposés par des planeurs puis des avions de transport.

Aguerris, déterminés – quatre mille tués et deux mille blessés –, ces soldats d'élite contraindront les Anglais à une nouvelle évacuation.

Humiliante, comme si le *modèle Dunkerque* s'imposait répétitivement à l'armée anglaise, opposée aux Allemands encore et toujours victorieux.

Second printemps de guerre calamiteux !

Plus de trente mille hommes sont abandonnés aux Allemands. Pour évacuer les seize mille autres, la Royal Navy perdra deux mille hommes, trois croiseurs et six destroyers. Et seize autres navires dont le seul porte-avions anglais en Méditerranée seront endommagés.

Mais les pertes allemandes, si lourdes, et frappant les troupes d'élite de la seule division de parachutistes de la Wehrmacht, marquent le Führer.

Le général Student, commandant des troupes aéroportées, ne réussit pas à convaincre Hitler de prendre d'assaut Chypre ; puis par un nouveau bond de s'emparer du canal de Suez. Student insiste, appuyé par l'amiral Raeder.

« Mais, confie Student, après le choc des lourdes pertes de Crète, le Führer refuse de tenter un autre grand effort aéroporté. »

En fait, Hitler, comme il le répète à ses interlocuteurs, est convaincu qu'« avant toute chose il nous faut détruire la Russie ». Déjà, l'action contre la Yougoslavie et la Grèce a retardé la mise en œuvre de l'opération *Barbarossa*, de près de cinq semaines. Elle était prévue le 15 mai.

Maintenant que les troupes allemandes sont à Belgrade, à Athènes, en Crète, le flanc sud de l'Europe est contrôlé, et les troupes de la Russie ne seront pas menacées sur leurs arrières. Hitler peut donc fixer la date de mise en route de *Barbarossa*.

Ce sera le 22 juin 1941.

8.

Barbarossa : c'est l'obsession de Hitler en ce printemps de 1941.

Les victoires remportées depuis 1939 ne constituent que le prologue glorieux et nécessaire à ce grand affrontement avec le foyer du judéo-bolchevisme, cette Russie soviétique qui, depuis 1917, a tenté d'infecter le Reich.

L'heure de la guerre est venue. Et il faut que ceux qui auront la charge de la conduire sur le terrain dans ce qui sera, après la victoire, le *Lebensraum* – l'espace vital – de la race germanique comprennent que l'enjeu est tel qu'il faut abandonner les vieilles règles du combat, armée contre armée.

Cette guerre sera le heurt de deux idéologies. Le national-socialisme contre le bolchevisme, les hommes contre les sous-hommes.

La pitié doit être exclue dans ce corps à corps qui décidera du destin du Reich, de l'Europe, du monde.

Il faut que les chefs d'état-major des trois armes – Wehrmacht, Kriegsmarine, Luftwaffe – soient convaincus qu'il n'est plus temps de conserver les préjugés de caste que les officiers, souvent des aristocrates, appellent l'honneur du soldat.

Il n'y a qu'un seul honneur, il s'appelle Victoire et pour l'obtenir tous les moyens sont bons.

Hitler a réuni les chefs d'état-major. Ils sont assis devant lui. Ils devront comprendre, obéir.

« Le caractère que présente notre guerre contre la Russie, commence Hitler, est tel qu'il doit exclure les formes chevaleresques.

« Il s'agit d'une lutte entre deux idéologies, entre deux conceptions raciales. Il importe donc de la mener avec une rigueur sans précédent et implacable.

« Tous, vous allez devoir vous libérer de vos scrupules périmés. »

Il s'interrompt, dévisage l'un après l'autre ces généraux, ces Feldmarschall, ces amiraux.

Tous baissent les yeux comme s'ils ne pouvaient soutenir son regard. Il est le Führer. Ils lui ont prêté serment. Il est le chef des armées du Reich.

Hitler en est persuadé : à la fin tous obéiront.

« Je sais que l'obligation où nous sommes d'adopter cette façon de faire la guerre vous échappe, reprend-il, chargeant sa voix de colère et de mépris.

« Mais je tiens formellement à ce que mes ordres soient obéis sans discussion.

« L'idéologie soviétique est aux antipodes de celle qui régit le national-socialisme. Par conséquent… »

Il laisse le silence se répandre, jusqu'à ce que la tension dans la salle devienne palpable.

« Par conséquent, les Soviétiques doivent être liquidés ! Liquidés !

« Les soldats allemands coupables de contrevenir aux lois internationales de la guerre seront innocentés. »

Il ricane :

« Innocentés ! L'Union soviétique n'ayant pas adhéré à la Convention de La Haye ne pourra s'en réclamer ! »

Les von Manstein, les von Rundstedt, les Halder, les Brauchitsch, les Keitel vont juger scandaleuse, outrageante, cette

Kommissarbefehl – cette directive qui vise les « commissaires politiques », ces membres du parti communiste chargés de surveiller, d'encadrer soldats et officiers.

Ces « Soviets »-là, souvent juifs, comment ces généraux, ces maréchaux pourraient-ils les défendre, eux qui, depuis 1917, dénoncent les « bolcheviques » qui ont voulu détruire l'armée allemande, comme ils avaient décomposé l'armée du tsar !

Et pourtant, ces généraux murmurent, protestent auprès du commandant en chef von Brauchitsch.

Mais, Hitler en est persuadé, tous plieront, ou laisseront faire leurs subordonnés, détournant les yeux, ne voulant ni voir ni savoir.

Et sur son ordre, d'autres directives vont compléter, préciser la *Kommissarbefehl*.

Elles se succèdent tout au long du mois de mai 1941.

Pour fusiller toute personne soupçonnée d'un acte criminel, il n'est plus nécessaire de réunir un conseil de guerre ou une cour martiale.

« Un officier jugera s'il y a lieu de fusiller. »

On sera indulgent avec les Allemands. On se souviendra du mal causé au Reich par les bolcheviques depuis leur révolution.

Hitler précise aussi le sort réservé à la Russie. Elle sera dépecée, émicttée.

Il charge Himmler, Rosenberg, Goering de préparer le démembrement de la Russie, dans le but de renforcer définitivement le « Grand Reich allemand ».

Rosenberg – compagnon de Hitler depuis Munich et le

Alfred Rosenberg.

« putsch de la brasserie », cette tentative de prise de pouvoir en 1923 – déclare :

« Nos conquêtes à l'est doivent tenir compte avant tout d'une nécessité primordiale : nourrir le peuple allemand. »

Goering, chargé de l'exploitation économique de la Russie, est plus explicite.

Il faudra dépouiller la population de toutes réserves alimentaires. Qu'elle se remette à des « cultures agricoles primitives ».

Et, entre-temps, qu'elle subisse la famine.

« Que ceci soit compris clairement une fois pour toutes ! insiste-t-il.

« Sans aucun doute si nous enlevons à la Russie les stocks de vivres qui sont nécessaires à l'Allemagne, la famine sévira et plusieurs millions de Russes mourront. »

Mais ce sont des *Untermenschen*, et ces sous-hommes peuvent, doivent être exterminés ! Comme l'ont été par dizaines de milliers les débiles mentaux, les vieillards, des Allemands pourtant, mais que le Führer avait jugés indignes de vivre.

Comme l'avaient été aussi par centaines de milliers déjà les Juifs et les notables polonais.

Cette politique d'extermination est une politique de puri-fication, conclut Goering.

Dans les bureaux des ministères du Reich, de paisibles fonctionnaires complètent les directives, dressent des listes, rassemblent des données statistiques. On évalue l'impor-tance des communautés juives. On demande la construction de camps pour les regrouper.

On envisage les moyens de les réduire, de les annihiler. La famine est efficace, mais agit lentement.

On étudie, à la lumière de l'extermination des malades mentaux et des handicapés allemands, l'utilisation des gaz.

Mais il est peu pratique de se servir des gaz d'échappement de moteur de camions, comme cela a été fait.

Il faut prévoir d'autres méthodes de « gazage ».
Himmler y songe.

Quant au Führer, en ce deuxième printemps de guerre, une nouvelle fois victorieux, et dans l'attente du déclenchement de l'opération *Barbarossa*, il savoure au Berghof la limpide beauté des cimes enneigées.
Qui peut résister à sa volonté ?

9.

Ce ne sont pas les hommes du gouvernement de Pétain qui vont résister à Hitler.

Les victoires allemandes du printemps de 1941 les ont confortés dans leur politique de collaboration.

À Vichy, à Paris, les journaux, les radios exaltent la *Blitzkrieg* allemande.

Belgrade, Athènes, la Grèce, la Crète, et Benghazi et Tobrouk, sont tombés aux mains de la Wehrmacht ou vont l'être.

Demain, pense-t-on, Rommel sera au Caire.

On affirme que les centaines de milliers d'hommes concentrés par l'Allemagne dans les Balkans ont pour but – avec l'accord de la Russie et de la Turquie – de prendre l'Empire britannique à revers.

Le canal de Suez contrôlé, on ira soutenir les nationalistes indiens.

Projet grandiose qui mettra fin au règne de Londres sur le monde.

À Vichy, à Paris, les collaborateurs en rêvent, assurent que la Wehrmacht vient de recevoir des équipements adaptés au climat de l'Orient.

Il faut dans ces conditions collaborer plus que jamais avec l'Allemagne.

Des hommes nouveaux d'à peine quarante ans – Pucheu, Marion, Benoist-Méchin ; le premier, venu de l'industrie, le deuxième de l'extrême gauche, le dernier brillant homme de lettres, essayiste – entourent l'ambitieux amiral Darlan, vice-président du gouvernement.

L'heure n'est plus à Pétain. On le couvre d'hommages. On continue de l'acclamer et il porte toujours beau, droit et digne. Mais on murmure qu'à quatre-vingt-cinq ans, il « n'est plus qu'un vieillard fatigué ».

« Il ne se souvient bien que des événements de sa jeunesse et de son âge mûr », dit-on.

D'une heure à l'autre il oublie les propos qu'il a tenus, les indications auxquelles il a acquiescé. On peut toujours le faire opiner dans le sens qu'on souhaite, pourvu qu'on se tienne dans certaines limites… On lui cache la vérité sous prétexte de le ménager, ou bien on le trompe effrontément, ou bien on le lanterne indéfiniment.

Darlan peut donc prendre des initiatives s'il respecte les formes.

Pucheu, Marion, Benoist-Méchin l'incitent à conduire une collaboration vigoureuse.

Benoist-Méchin l'affirme : « Un pays vaincu peut prendre trois positions : contre, pour, ou avec son vainqueur. Je suis partisan de la troisième formule. »

Darlan va la mettre en œuvre.

On traque les « résistants », on livre aux Allemands les antinazis réfugiés dans la zone non occupée. On condamne à mort le général Catroux, qui a rejoint de Gaulle.

Plus grave encore : on ordonne au général Dentz, qui commande les troupes françaises en garnison en Syrie et au Liban, de résister aux Forces françaises libres qui veulent libérer cet Orient sous mandat français, afin que ces territoires du Levant rejoignent le général de Gaulle.

Pire encore : on ouvre les aéroports de la Syrie à une centaine d'avions allemands destinés à soutenir la révolte antianglaise des nationalistes irakiens.

Un accord est conclu entre l'amiral Darlan et le général allemand Vogl.

Les autorités françaises contribueront au ravitaillement en essence des avions allemands passant en transit en Syrie.

Le haut commandement français transmettra au haut commandement allemand, à charge de réciprocité, tous les renseignements qu'il aura recueillis sur les forces et sur les mesures de guerre anglaises au Proche-Orient. Enfin, les officiers français apprendront aux Irakiens le maniement des armes françaises qui auront été cédées.

Et l'accord prévoit l'éventualité d'une campagne contre les « gaullistes ».

De Gaulle est indigné.

En ce printemps 1941, obscurci par les victoires d'une Allemagne nazie qui semble plus forte – plus invincible – que jamais, il parcourt les territoires de l'Empire qui ont rallié la France Libre.

Il parle à Brazzaville, stigmatise l'« ambassadeur » Brinon… qui représente Vichy à Paris et qui vient de déclarer : « L'intérêt de la France est dans la victoire allemande. »

Il interpelle les Français de l'Empire : « Levez-vous ! Chassez les mauvais chefs comme nos pères les ont chassés maintes fois dans notre histoire ! Venez rejoindre votre avant-garde qui lutte pour la Libération ! »

Il dénonce cet accord militaire conclu entre Darlan et les Allemands : « Ainsi les gens de Vichy livrent la Syrie aux Allemands. »

Ces gens-là sont illégitimes :

« On n'a pas le droit de confondre la nation française avec les chefs indignes qui ont par abus de confiance usurpé le pouvoir chez elle et trompé ses amis pour le compte de l'ennemi. »

Mais l'amertume souvent submerge de Gaulle.

Henri-Fernand Dentz.

En Syrie, les troupes du général Dentz s'opposent avec vigueur dans des combats fratricides aux Forces françaises libres ! Des hommes tombent.

Et les Anglais assistent à cette tragédie, interdisant aux gaullistes de recruter parmi les soldats de Dentz.

Les Anglais ont passé un accord de rapatriement avec le général « vichyste » et ils escortent même le paquebot *Provence* qui a embarqué non seulement ceux qui veulent rentrer en France – la presque totalité des troupes de Dentz – mais aussi les « gaullistes » condamnés par les tribunaux militaires aux ordres de Dentz.

Plusieurs dizaines d'officiers qui voulaient rejoindre les Forces françaises libres ont été jugés, emprisonnés, embarqués sur le *Provence*.

La France Libre, dans ce printemps 1941 décevant, inquiétant, a de la peine à se déployer.

Il en est de même pour la Résistance en France.

Certes, les réseaux se constituent, d'autres se renforcent, le *Mouvement de Libération nationale*, avec Henri Frenay et Bertie Albrecht, édite de petits bulletins d'information, de propagande.

On y dénonce le leurre qu'est la « correction des militaires allemands » car la « doctrine nazie reste inchangée et inacceptable ».

Mais les communistes dans *L'Humanité* clandestine ne s'engagent surtout pas dans une lutte frontale contre l'Allemagne nazie. Ils refusent encore la « guerre impérialiste ».

« Le peuple de France empli d'un profond mépris à l'égard de la tourbe des politiciens de Vichy et de Paris, écrivent-ils, ne veut être ni le soldat de l'Angleterre, ni le soldat de l'Allemagne, ni le soldat de Churchill, ni le soldat de Hitler : il ne veut pas être le soldat de la ploutocratie, sous quelque visage qu'elle se présente. »

En ce printemps 1941, pour les communistes – ou leur direction – les Anglais ne valent pas mieux que les nazis !

Heureusement, des jeunes hommes, prenant tous les risques, ne s'enlisent pas dans cette ambiguïté, cette tactique du « tous dans le même sac ».

Ils choisissent la France Libre, la lutte contre les nazis. Ils se rebellent, tel ce sergent Colin, ancien moniteur d'acrobatie aérienne, membre des Groupes de protection de Vichy créés par le colonel Groussard.

Le 1er février 1941, vers 11 heures du matin, Colin s'empare du bimoteur utilisé par les officiers allemands de la Commission d'Armistice et qui vient d'atterrir sur l'aérodrome de Vichy.

Colin avait rejoint les Groupes de protection, persuadé que c'était là un môle de résistance aux Allemands et que Vichy préparait son « armée de l'armistice » à l'affrontement avec les « Boches ».

« Or, dans cette ville de Vichy, explique-t-il, j'ai trouvé des êtres répugnants. On souhaite la victoire de Hitler. » Ses chefs de section répètent à Colin :

« Les Anglais ont perdu la guerre ou vont la perdre. La preuve, c'est qu'ils demandent partout des hommes pour les défendre. Ils paient trois cents livres d'engagement pour les marins et trois livres par jour de solde. Et pour les aviateurs, c'est plus élevé encore ! »

Colin, en rejoignant l'Angleterre, fuit la lâcheté et la veulerie.

« Aller en Angleterre, écrit-il, c'est le moyen de servir la France, de ne pas se laisser entraîner à une collaboration douteuse : seul le chien lèche les bottes de son maître qui l'a corrigé, et nous, Français, nous ne sommes pas battus. »

Colin réussit à atterrir près de Portsmouth et un tribunal militaire de Vichy le condamne à mort par contumace « pour crime contre la sûreté extérieure de l'État ».

Engagé dans les Forces aériennes françaises libres, Colin va combattre l'Allemand et mourra pour la France au terme d'un duel aérien le 27 juin 1942.

D'autres Français libres tomberont en ce printemps 1941, abattus en Syrie par les soldats du général Dentz, resté fidèle à Vichy.

De Gaulle écoute les blessés faire le récit de ces combats.

« Je pars agitant un drapeau tricolore et criant de toutes mes forces ; "Français", dit l'un, et j'entends une voix bien française qui crie : "Tirez sur cet idiot avec son drapeau, tirez, tirez." Là, des soldats se sont élancés aux accents du *Chant du départ* et on a répondu par *Maréchal, nous voilà* ! »

Peu de défections parmi les 30 000 soldats de Dentz ! Une résistance acharnée, la volonté de tuer les gaullistes. Seuls les légionnaires s'épargnent en criant :

« La Légion ne combattra pas la Légion ! »

Un officier valeureux, le capitaine de corvette Détroyat, commandant les fusiliers marins de la France Libre, qui a capturé une patrouille de vichystes et leur a laissé leurs armes, est abattu d'une rafale dans le dos.

Le capitaine des Forces françaises libres, Boissoudy, qui s'avançait en parlementaire, est fauché par un feu de salve.

De Gaulle est pâle, tendu.

Cette haine qui s'exprime entre Français est une plaie ouverte en lui.

Il dit : « Cette douloureuse bataille est l'une des plus horribles réussites de Hitler. »

Il savait en appelant le 18 juin 1940 à la résistance, cette « flamme qui ne doit pas s'éteindre et ne s'éteindra pas », que « la route serait dure et sanglante ».

Il l'éprouve en Syrie en ce printemps amer de 1941.

Il y a un an, « l'équipe mixte du défaitisme et de la trahison s'emparait du pouvoir dans un *pronunciamiento* de panique ».

Les mots impitoyables se bousculent en lui, maculés par le sang des hommes qui tombent en ce moment dans les jardins de Damas.

« Une clique de politiciens ratés, reprend-il, d'affairistes sans honneur, de fonctionnaires arrivistes, et de mauvais généraux se ruait à l'usurpation en même temps qu'à la servitude. Un vieillard de quatre-vingt-quatre ans, triste enveloppe d'une gloire passée, était hissé sur le pavois de la défaite pour endosser la capitulation et tromper le peuple stupéfait.

« Et le lendemain, de Gaulle appelait à la résistance, donnant ainsi naissance à la France Libre. »

C'était il y a un an, le 18 juin 1940.

De Gaulle serre les dents. Il ne veut pas désespérer.

« Comme Français, dit-il, je dirais que les combats de Syrie, pour lamentables qu'ils soient, fournissent une preuve de plus du courage des hommes de mon pays, quelle que soit la cause qu'ils servent. »

Cette lutte fratricide est le fruit de la « trahison de gouvernants déshonorés.

« Je suis sûr qu'un jour viendra où tous ces hommes seront ensemble pour chasser l'envahisseur de la France ».

Il reste persuadé que la guerre sera perdue par Hitler.

Le 9 mars 1941, la loi Prêt-Bail a été votée par le Congrès américain. Les États-Unis seront, comme l'a dit Roosevelt, « l'arsenal des démocraties » à crédit.

C'est un pas décisif vers l'entrée en guerre des États-Unis.

En Europe, l'avance des Allemands dans les Balkans, de Belgrade à Athènes, de Budapest à Bucarest, doit inquiéter Moscou.

« Je crois que la Russie, dit de Gaulle, est moins éloignée qu'on ne le pense de comprendre la cause des Alliés. »

Et, il faut aussi puiser dans l'Histoire nationale la certitude de la victoire.

De Gaulle lance le 10 mai 1941 un appel pour que le lendemain, 11 mai, fête nationale de Jeanne d'Arc, les Français se rassemblent moralement en *une heure de silence*.

« Qu'ils se souviennent de la France d'il y a cinq cent douze ans, quand Jeanne d'Arc parut pour remplir sa mission…

« Un pays aux trois quarts conquis. La plupart des hommes en place collaborant avec l'ennemi. Paris, Bordeaux, Orléans, Reims sont devenues garnisons étrangères. Un représentant de l'envahisseur dictant la loi dans la capitale. La trahison partout étalée. La famine à l'état chronique. Un régime ignoble de terreur et de délation organisée aux champs comme à la ville. Les soldats cachant leurs armes, les chefs leur chagrin, les Français leur fureur…

« … Telle est aussi, en surface, la France d'aujourd'hui.

« Je dis en surface car, en 1941, la nation ronge en silence le frein de la servitude.

« Jadis, c'est de cette foi et de cette espérance secrètes que l'épée de Jeanne d'Arc fit jaillir le grand élan qui bouta l'ennemi hors de France.

« Demain, les armes de ceux qui se battent pour la patrie chasseront l'ennemi de chez nous, parce que la même foi et la même espérance survivent dans l'âme des Français…

« Jeanne d'Arc ! Demain, 11 mai 1941, sous votre égide, les Français se reconnaîtront. »

10.

Ce même 11 mai 1941, vers midi, l'architecte de Hitler, Albert Speer, attend dans le vestibule du Berghof d'être reçu par Hitler.

Le Führer a demandé à Speer de venir à l'Obersalzberg lui présenter les esquisses du Berlin des années 1950.

Hitler veut que dans la capitale du Grand Reich on puisse, en 1950, organiser les parades grandioses de la victoire.

Il a évoqué avec Speer, dans les jours précédents, les détails des festivités et des bâtiments qui seront construits dans les dix années à venir : un arc de triomphe, des palais bordant l'Avenue Triomphale.

De temps à autre, Hitler s'était interrompu, les yeux fixes, assurant à Speer, sans dévoiler la date du déclenchement de l'opération *Barbarossa*, qu'il faudrait quatorze jours pour écraser l'armée russe et que, le pays conquis, il faudrait le morceler.

En 1950, le Grand Reich s'étendrait sur un immense *Lebensraum*.

Dans le vestibule du Berghof, deux aides de camp de Rudolf Hess – le compagnon des années 1920, l'adjoint du Führer à la tête du parti nazi, l'héritier de Hitler, après Goering –, Leitgen et Pietsch, « pâles et agités », attendent déjà et demandent à Speer de reporter son entretien avec Hitler, car ils doivent remettre au Führer une lettre de Rudolf Hess.

Speer accepte.

Hitler descend lentement de l'étage supérieur du Berghof.

L'un des aides de camp – Karl Heinz Pietsch – est appelé dans le salon où Hitler reçoit ses visiteurs.

Speer commence à feuilleter ses esquisses.

Il entend tout à coup un « cri inarticulé presque bestial ».

C'est le Führer qui hurle, gesticule, rugit, crie : « Bormann, immédiatement, où est Bormann ? »

Bormann est l'adjoint de Hess, son rival qui peu à peu s'empare des pouvoirs de Hess, l'écarte du Führer, et entre les deux hommes la jalousie s'installe.

Hess se sent dépossédé, arraché à son amitié servile pour Hitler.

Cela, Speer le sait.

Mais il ne comprend pas pourquoi Bormann doit entrer en contact avec Goering, Ribbentrop, Goebbels et Himmler, les convoquer au Berghof.

Speer, comme tous les hôtes privés, est prié peu après de se retirer de l'étage supérieur.

Ce n'est que quelques heures plus tard que Speer apprend ce qui s'est passé et dont, dans sa lettre, Hess avertissait Hitler.

En pleine guerre, l'adjoint de Hitler, l'un de ses intimes, presque un ami, Rudolf Hess, s'est envolé vers le pays ennemi, l'Angleterre !

Ce proche « camarade » du Führer n'a pas agi sur un coup de tête ou un coup de folie.

Hitler pourtant, dès la fin de la journée du 11 mai, commence à l'affirmer.

Rudolf Hess est certes obsédé par sa relation avec Hitler, affolé à l'idée d'être peu à peu refoulé par les intrigues de Martin Bormann. Il veut rester « l'ami » préféré du Führer. Il lui faut donc, pour conserver son rang, réaliser un coup d'éclat.

Adolf Hitler et Rudolf Hess.

Il sait que le désir du Führer, plusieurs fois exprimé, est d'éviter la guerre sur deux fronts – l'Ouest et l'Est –, cette malédiction qui a provoqué la défaite de l'Allemagne en 1918.

Il a entendu le Führer faire l'éloge de l'Empire britannique, et envisager de proposer à Londres la paix.

Hitler resterait maître de l'Europe continentale et l'Angleterre aurait les mains libres dans son empire.

Mais Churchill s'est obstiné à refuser ce « marché ».

Hess a par ailleurs été l'élève du professeur Karl Haushofer qui, adepte de la géopolitique, répétait que la destinée de la Grande-Bretagne était de rejoindre la lutte mondiale contre le bolchevisme aux côtés de l'Allemagne.

Hess, qui ne connaît pas les détails du plan *Barbarossa*, n'ignore pas que Hitler a décidé d'attaquer la Russie.

Il lui faut donc agir vite.

Le principal idéologue du nazisme, Alfred Rosenberg, qu'il rencontre à plusieurs reprises, le conforte dans l'idée que la guerre sur deux fronts serait une catastrophe pour le Grand Reich, et d'autant plus que l'Angleterre devrait avoir tout intérêt à conclure la paix.

Hess prend donc sa décision. Il forcera le destin. Il ira en Angleterre.

Il est pilote et suit des cours de perfectionnement sur l'aérodrome des usines Messerschmitt à Augsbourg.

Il fait préparer un Messerschmitt 110 – un bimoteur – et se procure les cartes et les prévisions météorologiques nécessaires à sa navigation vers Glasgow.

Il sait que le château du duc de Hamilton, qu'il a rencontré aux jeux Olympiques tenus à Berlin en 1936, se trouve à proximité de Glasgow. Il imagine que le duc lui servira d'intermédiaire et lui permettra ainsi de rencontrer les membres du gouvernement britannique.

Le 10 mai 1941, à 5 h 45 du soir, Hess endosse sa combinaison fourrée et décolle.

Après cinq heures de vol, arrivé dans les environs de Glasgow, Hess saute en parachute et le Messerschmitt 110 va s'écraser en flammes dans la campagne anglaise.

Le duc de Hamilton est prévenu qu'un certain Alfred Horn, pilote allemand qu'on vient d'arrêter, demande à le rencontrer afin d'être conduit auprès de responsables britanniques auxquels il doit transmettre une information capitale.

Hamilton – qui a été membre avant la guerre de la Société d'amitié anglo-allemande – est en 1941 lieutenant-colonel de la Royal Air Force. Il n'a aucune influence politique.

Il identifie Hess qui sera interrogé par le diplomate Ivone Kirkpatrick, qui a été en poste à l'ambassade de Grande-Bretagne à Berlin.

Hess affirme qu'il est porteur d'une « offre de paix » qui reproduit les propositions faites par Hitler à Chamberlain, l'ancien Premier Ministre, signataire des accords de Munich en septembre 1938. Et repoussée avec dédain par les Britanniques.

D'ailleurs, le diplomate anglais se convainc rapidement du rôle marginal joué par Hess dans l'appareil gouvernemental allemand.

« Hess ne semble pas être dans les secrets du gouvernement en ce qui concerne les opérations », conclut Kirkpatrick.

La naïveté de Hess et son ignorance de la réalité politique sont confondantes.

Il menace l'Angleterre d'un blocus total.

« Sa population se verra donc condamnée à mourir de faim », répète-t-il.

Hess ne met jamais en doute la supériorité de l'Allemagne. Elle est la puissance victorieuse. Elle propose la paix et l'Angleterre devrait se précipiter pour accepter cette offre magnanime.

Kirkpatrick, diplomate chevronné, informé, est surpris par l'aveuglement de l'adjoint du Führer.

« Comme nous quittions la pièce, relate Kirkpatrick, Hess lança ce qui dans son esprit devait être un coup décisif. Il avait oublié de m'avertir que l'Allemagne n'accepterait d'entamer les pourparlers qu'avec un nouveau gouvernement. M. Churchill, coupable d'avoir poussé à la guerre depuis 1936, et ses collègues du Parlement étaient indignes de négocier avec le Führer. »

De ces négociations, on ne sait rien au Berghof.

Hitler passe de la rage à l'abattement.

Le Führer a d'abord espéré que Hess n'atteindrait jamais l'Angleterre.

« Si seulement il pouvait se noyer dans la mer du Nord, s'est-il exclamé. Il aurait alors disparu sans laisser de traces, et nous aurions tout notre temps pour trouver une explication quelconque. »

Mais Hitler doit se rendre à l'évidence : Hess est en Angleterre.

« Il est fou, hurle le Führer en vrillant son index sur sa tempe. Hess est positivement fou. »

Hitler craint que ses alliés, les Italiens, les Japonais, ne pensent qu'il veut conclure une paix séparée avec l'Angleterre.

À Goering, Goebbels, Ribbentrop, Himmler, Bormann, arrivés au Berghof, il ne cherche même pas à masquer son désarroi.

Goebbels note dans son journal :

« Le Führer est complètement effondré ! Quel spectacle pour le monde : un déséquilibré mental pour second derrière le Führer. »

Hans Frank, le gouverneur général de Pologne, confie :

« Je n'ai jamais vu le Führer aussi profondément choqué. »

Speer se souvient d'une confidence de Hitler, à la fin de l'année 1940 :

« Quand je parle avec Goering, c'est pour moi comme un bain d'acier, avait dit Hitler. Après, je me sens frais et dispos. Le Reichsmarschall a une façon captivante de présenter les choses. Avec Hess, tout entretien devient une épreuve insupportable. Il vous importune sans cesse avec des choses désagréables. »

Le Führer choisit de s'en tenir à la thèse de la folie tout en sachant que l'opinion n'est pas dupe, que les Berlinois murmurent « que notre gouvernement est fou, nous le savons depuis longtemps, mais qu'il l'avoue, ça, c'est nouveau ! ».

Il faut réagir, marteler la thèse officielle.

La presse, la radio, sur l'ordre de Goebbels, publient et commentent le communiqué qui annonce que Hess a été subitement atteint de « désordres mentaux », imputables à une ancienne blessure de guerre et entraînant « des aberrations de caractère idéaliste » !

« Il apparaît que Rudolf Hess souffrait depuis quelque temps de troubles hallucinatoires le portant à s'imaginer qu'il était appelé à négocier un accord pacifique entre le Reich et le Royaume-Uni.

« Cet accident n'affecte en aucune façon la poursuite d'une guerre imposée au peuple allemand par la Grande-Bretagne. »

Speer note que, parfois, en ces jours de mai et juin 1941, alors que l'heure du déclenchement de *Barbarossa* approche, Hitler paraît tout à coup absent, le visage parcouru de tics.

Il appelle alors Martin Bormann qui s'est emparé de tous les pouvoirs et titres de Rudolf Hess.

Selon Albert Speer, Hitler révèle ainsi qu'il ne s'est jamais remis de la « félonie » de son adjoint.

Il a donné l'ordre, au cas où Hess reviendrait, de le fusiller ou de le pendre aussitôt.

Personne dans l'entourage du Fuhrer n'ose prononcer le nom de Hess. Et les événements se succèdent à un rythme si rapide que la tentative folle de Rudolf Hess d'inverser le destin paraît déjà appartenir à un lointain passé.

11.

L'ombre de Rudolf Hess hante encore le Berghof quand l'amiral Darlan rencontre le Führer, les 11 et 12 mai 1941.

Le vice-président du Conseil des ministres du gouvernement de Vichy est introduit dans le salon où Hitler l'attend.

Le Führer a le visage fermé et son attitude exprime dédain, hostilité.

Darlan, qui vient d'apprendre l'échappée anglaise de Hess, attribue d'abord le comportement de Hitler à cet événement imprévisible et impensable. La déception et la colère doivent submerger le Führer.

Mais dès les premiers mots de Hitler prononcés d'une voix gutturale, méprisante, l'amiral Darlan mesure que le Führer veut imposer sa volonté, sans rien négocier.

Il donne des ordres et le temps n'est plus aux précautions de langage.

« Je n'ai en vue que la protection des intérêts allemands, dit-il. La collaboration n'est pas une fin en soi. Si je n'ai pas confiance dans la France, je garderai à titre définitif les régions qualifiées aujourd'hui d'interdites... »

Darlan, figé, écoute Hitler égrener les territoires :
« Les ports de la Manche, le Nord, le Pas-de-Calais et, en plus, toute une bande de terre à la frontière belge, une partie

de la Meuse, du département de Meurthe-et-Moselle, sans parler des trois départements constituant l'Alsace-Lorraine. »

Et il faut l'entendre ajouter, la voix plus rugueuse encore :

« En outre, quoique l'Italie manifeste de prétentions exagérées, je les satisferai. »

Silence.
Hitler lève la main pour prévenir une réponse de Darlan.

Il reprend sur le même ton :
« Mais si j'ai confiance dans la France, je réduirai au minimum les sacrifices territoriaux sur le continent. Je ne suis pas fanatiquement avide de territoires. »

Nouveau silence, puis :
« Il est grand temps pour la France de préparer sa paix. Il faut qu'elle décide si elle veut collaborer ou non. »

Le premier entretien – en fait un monologue de Hitler – s'achève.

Les termes du marché sont clairs et n'admettent aucune réplique. C'est une collaboration militaire qu'exige Hitler, sinon ce sera le dépeçage de la France.

Le lendemain, Hitler, allant et venant, évoque la puissance invincible de l'Allemagne, les victoires de ce printemps 1941.

Il s'interrompt, se dirige vers l'immense baie vitrée.

« Quant à la Russie, on ne peut que la mépriser », dit-il.

Ainsi, d'un mot, Hitler confirme le rapport d'un attaché militaire français en Roumanie qui a prévenu Darlan de l'imminence d'une attaque allemande contre la Russie.

Hitler, sûr de lui, regardant les cimes blanches de l'Obersalzberg, poursuit :

« Depuis la réforme de l'armée russe, trente mille officiers ont été exécutés, de sorte que l'armée manque de cadres. Les officiers ne savent ni lire ni écrire. La Russie doit se retirer au plus tôt des pays baltes. Elle comprendra cette nécessité. Si elle ne la comprend pas, elle sera battue en trois semaines. »

À cet instant, Darlan est sûr que la décision d'attaquer la Russie est prise, et que l'Allemagne sera victorieuse.

Il faut donc que la France soit aux côtés de ce Grand Reich qui va naître.

« La France, dit Darlan, est toute disposée à aider l'Allemagne à gagner la guerre. »

Il rappelle la collaboration militaire déjà engagée en Syrie. Il ose ajouter :

« Il serait opportun que, du côté allemand, on veuille bien lui faire des concessions. »

Darlan veut convaincre le Führer.

Il veut se faire adouber par Hitler, apparaître comme irremplaçable. Il est le seul homme d'État français capable de conduire cette politique.

François Darlan et Jacques Benoist-Méchin arrivent au Conseil des ministres.

« Je prends l'engagement formel, dit-il, de diriger la politique française dans le sens d'une intégration au nouvel ordre européen, de ne plus tolérer une politique dite de bascule entre les groupes de puissance, d'assurer la continuité de cette ligne politique. »

Hitler ne le quitte pas des yeux puis, d'un hochement de tête et d'une moue, met fin à l'entretien.

Le 14 mai, Darlan est à Vichy et, devant le Conseil des ministres, il expose avec détermination et fougue ses certitudes. Après avoir rapporté les propos de Hitler, il affirme :

« C'est la dernière chance qui se présente à nous d'un rapprochement avec l'Allemagne. Si nous favorisons la politique anglaise, la France sera écrasée, disloquée, et cessera d'être une nation... »

Il exclut la politique de bascule entre les deux adversaires.

« Il faut nous ranger aux côtés de l'Allemagne, travailler pour elle dans nos usines, sans faire délibérément la guerre à l'Angleterre.

« Mon choix est fait, je ne m'en laisserai pas détourner par l'offre sous condition d'un bateau de blé et d'un bateau de pétrole ! »

Pétain dodelinant de la tête approuve ces « finasseries » qui se prennent pour une habile et grande politique.

Le 15 mai 1941, il adresse un message aux Français.

Langage de chef, de guide, d'autant plus martial que ce vieillard de quatre-vingt-cinq ans a la voix qui tremble.

« Français,

« Vous avez appris que l'amiral Darlan s'était récemment entretenu, en Allemagne, avec le chancelier Hitler. J'avais approuvé le principe de cette rencontre.

« Ce nouvel entretien nous permet d'éclairer la route de l'avenir...

« Il ne s'agit plus aujourd'hui, pour une opinion souvent inquiète parce que mal informée, de supputer nos chances, de mesurer nos risques, de juger nos gestes.

« Il s'agit pour vous, Français, de me suivre sans arrière-pensée sur les chemins de l'honneur et de l'intérêt national.

« Si dans l'étroite discipline de notre esprit public nous savons mener à bien les négociations en cours, la France pourra surmonter sa défaite et conserver dans le monde son rang de puissance européenne et mondiale. »

Darlan, les 23 et 31 mai, s'adresse lui aussi aux Français, et livre le sens de sa politique.

« Dans un monde anglo-saxon triomphant, la France ne serait qu'un dominion de seconde zone... Il s'agit de choisir entre la vie et la mort.

« Le Maréchal et le gouvernement ont choisi la vie. »

Pour Pétain, Darlan et leurs ministres, « la vie » c'est donc la victoire du Reich nazi, et la mort c'est l'Angleterre démocratique.

Ils préfèrent « vivre » dans l'Europe de Hitler que dans le monde de Churchill.

Comment peuvent-ils croire que les Français approuvent ce choix ?

Mais ils s'obstinent.

Le 21 mai, Darlan, le général Huntziger, Benoist-Méchin et Brinon se rendent à l'ambassade d'Allemagne à Paris, afin d'y discuter avec le général Warlimont du contenu de l'accord franco-allemand.

Ces *Protocoles de Paris* sont signés le 27 mai 1941.

En Syrie, en Tunisie, à Dakar, l'Allemagne est autorisée à utiliser les ports, les aérodromes, les voies ferrées à des fins militaires.

Jamais le gouvernement de Vichy n'a été aussi près d'entrer en guerre aux côtés de l'Allemagne.

Mais Darlan a obtenu que les *Protocoles* ne soient appliqués que si l'Allemagne permet à Vichy de « réarmer » l'Empire français.

Il est dit aussi que :

« Le gouvernement allemand fournira au gouvernement français par la voie de concessions politiques et économiques les moyens de justifier devant l'opinion publique de son pays l'éventualité d'un conflit armé avec l'Angleterre et les États-Unis. »

Finasseries ! Cynisme !

Il reste une dernière formalité : la ratification des *Protocoles de Paris* par le maréchal Pétain.

Simple formalité :

N'a-t-il pas, le 15 mai, approuvé devant les Français la politique de Darlan ?

Seulement, il ne s'agit plus de « messages » d'intention, mais bien d'une collaboration militaire pouvant conduire à « l'éventualité d'un conflit armé » avec les alliés d'hier !

Pétain ratifiera-t-il ?

À Vichy, la tension monte au moment de franchir ce Rubicon qu'est une ample collaboration militaire qui ne pourra être maîtrisée et qui conduira mécaniquement à un affrontement armé avec ceux que Darlan appelle « Anglo-Saxons ».

Mais les Allemands restent, dans l'opinion, les « Boches », les « Fridolins », les « doryphores », les ennemis acharnés de 1870, de 1914-1918, ceux qui détiennent un million et demi de prisonniers, qui « raflent » tout, le charbon, le blé, les pommes de terre, la lingerie fine, le bordeaux et le champagne, et qui exigent que les jeunes hommes aillent travailler en Allemagne !

Pétain, le général Weygand arrivé d'Afrique du Nord à Vichy, les autres gouverneurs de l'Empire éprouvent eux-mêmes cette défiance à l'égard des Allemands et savent quel est l'état de l'opinion.

En outre, les Allemands ne « donnent » rien en échange de ce qu'ils exigent. Benoist-Méchin, resté à Paris, le dit à Otto Abetz : « La réduction des frais d'occupation promise le 6 mai est encore en discussion et en dehors des prisonniers anciens combattants, dont le chiffre a d'ailleurs considérablement diminué, rien de substantiel n'a été apporté à la France. »

Alors, à Vichy, on écoute le général Weygand qui refuse toute collaboration militaire avec les Allemands.

« Aucune base en Afrique ne peut être mise à la disposition des Allemands et des Italiens, dit-il. Je n'ai aucune qualité pour combattre la politique de mon gouvernement, mais je peux refuser de la faire. À politique nouvelle, homme nouveau. »

Il évoque donc sa démission mais il ajoute :

« Je ferai tirer sur les Allemands contre les ordres de mon gouvernement s'il le faut, afin qu'ils ne pénètrent pas en Afrique. »

Le maréchal Pétain réunit le Conseil des ministres.

« J'observe, dit-il d'une voix pateline, que la politique de l'Amiral et de moi-même est l'objet de vives critiques. Je prie les ministres présents d'exprimer leur opinion. »

Il n'est plus le guide, le chef, mais l'homme qui veut dégager sa responsabilité.

Trois ministres s'engagent aux côtés de Weygand – qui ne siège pas au Conseil – et soulignent que la démission du général serait catastrophique.

Tous les autres ne se prononcent ni pour ni contre l'application des *Protocoles de Paris*.

Quant à Pétain et Darlan, ils se taisent.

Mais l'un et l'autre paraissent satisfaits de ne pas avoir à mettre en application les *Protocoles*, tout en se présentant devant les Allemands comme impuissants face à Weygand.

Le général qui a quitté Vichy est bouc émissaire et bouclier !

Et ils vont pouvoir continuer de « finasser » à la recherche du « moindre mal ».

Mais pendant ce temps-là, les avions de la Luftwaffe se posent sur l'aérodrome d'Alep en Syrie.

Et les cargos chargés d'armes et de matériel – automitrailleuses, Panzers – déchargent leurs cargaisons destinées à Rommel dans le port de Bizerte.

Sur le champ de bataille qu'est devenue la Syrie, les Français du général Dentz – les vichystes – s'opposent aux Français du général Catroux – les gaullistes.

Douze cents morts parmi les vichystes.

Huit cents morts parmi les gaullistes.

Sur les vingt mille hommes du général Dentz, deux mille seulement s'engageront aux côtés des Forces françaises libres. Les autres seront autorisés par les Anglais à regagner la France avec leurs armes individuelles.

Dans le cimetière de Damas, les tombes des Français Libres voisinent avec celles des soldats tués au service de Vichy.

« Toutes sont semblables, écrit le général Catroux, et portent la même épitaphe faite de ces mots "Morts pour la France", et toutes sont honorées avec la même piété. »

Les finasseries, les lâchetés, les illusions et les mensonges de la collaboration se paient au prix du sang versé dans ces combats fratricides.

Et la compassion pour les victimes ne peut effacer les responsabilités des hommes de Vichy, médiocres et veules politiciens, sordides ambitieux, impuissants et dérisoires face à l'ampleur des événements qui se préparent.

12.

Que va-t-il advenir ?

Nuit et jour, en ce mois de mai 1941, d'interminables colonnes de soldats allemands, de véhicules blindés – Panzers, automitrailleuses –, de pièces d'artillerie portées par d'énormes camions, de motocyclistes, traversent la Pologne en direction de l'est.

Elles sont englouties par les immenses forêts qui couvrent la zone frontière avec les territoires contrôlés par les Russes. Les Polonais qui se terrent dans leurs villages pressentent qu'une nouvelle partie aux enjeux décisifs va s'engager.

Entre le Reich et la Russie !

Ils ne connaissent pas le plan *Barbarossa*.

Ils ne lisent pas la presse internationale – suisse, suédoise, américaine – qui confirme que des centaines de milliers de soldats allemands sont transférés d'ouest en est et sont concentrés face à la Russie, tout au long de la frontière, de la Baltique au sud de la Pologne.

Pour quoi faire sinon pour déchaîner une nouvelle tempête ?

Les soldats allemands ne la craignent pas. Ils l'attendent, ils l'espèrent. Ils l'imaginent brève, victorieuse. Elle sera l'ultime *Blitzkrieg*.

Après viendront le triomphe, la paix qui effacera le *Diktat* humiliant de 1919.

Les victoires du printemps 1940 et du printemps 1941 annoncent les succès à venir.

Ces jeunes soldats ne doutent pas. Jamais ils n'ont disposé d'autant d'armes et de véhicules blindés. Hitler a ordonné que la production d'armements se concentre sur les chars.

Le nombre de divisions de Panzers a doublé. De nouveaux véhicules semi-chenillés permettent de transférer rapidement des divisions d'infanterie mobile derrière les blindés.

Qui pourrait résister à une telle armée ?

Depuis le début de l'année 1941, les chemins de fer et les routes en Pologne occupée ont été améliorés et des provisions ont été entassées dans la zone frontière.

**Soldats de la Waffen-SS et membres du *Reichsarbeitsdienst*
regardant un soldat des *Einsatzgruppen* exécuter un Juif.**

Des dizaines de milliers de Polonais ont été réquisitionnés, pour effectuer ces travaux.

Ils ont été traités comme des esclaves, battus ou abattus s'ils protestaient ou tentaient de s'enfuir.

Et les *Einsatzgruppen* (groupes d'intervention) ont nettoyé les territoires proches de la frontière de tous les Juifs et notables polonais susceptibles de s'opposer à l'armée allemande.

Qui se soucie de leur vie ?

Les hommes de la Wehrmacht sont aveuglés par leur désir de victoire. Ils sont le Grand Reich et la Force. Ils ont le Droit.

Le lieutenant von Kageneck, chef de peloton et de patrouille blindée dans le bataillon de reconnaissance de la IXᵉ Panzerdivision, est l'un de ces jeunes officiers qui ne voient pas ce qui se passe autour d'eux, emportés qu'ils sont par leur enthousiasme patriotique et guerrier.

Et cependant, von Kageneck, fils d'un aide de camp de l'empereur Guillaume II, neveu de von Papen – chancelier du Reich avant l'arrivée de Hitler au pouvoir –, peut obtenir des informations sur la situation en Pologne et sur les événements qui se préparent. Mais quand un ami de la famille l'interroge sur ce qu'il pense de l'avenir, après les victoires allemandes dans les Balkans et l'offensive de Rommel vers l'Égypte, Kageneck répond :

« Nous allons prendre les Anglais à revers. »

Son interlocuteur, ancien ambassadeur à Rome, ricane :

« C'est le commencement de la fin, mon pauvre petit. En attaquant dans les Balkans, Hitler n'a pas visé les Anglais mais les Russes. Dans quelques mois, ce sera la guerre avec la Russie et nous ne pourrons pas la gagner. »

Mais comment Kageneck, qui n'a pas dix-neuf ans, qui vient d'être promu lieutenant, qui est issu d'une famille liée aux traditions militaires et impériales – l'un de ses frères est un des héros de la Luftwaffe, décoré par le Führer –, pourrait-il renoncer à l'enthousiasme ?

Aux côtés de dix mille autres nouveaux lieutenants, il a été présenté au Führer dans l'immense rotonde du Sportspalast de Berlin.

Comment ne pas être grisé par cette force juvénile, disciplinée, représentant toutes les régions du Reich, toutes les armes ?

Ceux de la Kriegsmarine portent un uniforme bleu foncé, ceux de la Luftwaffe sont en bleu clair. Les lieutenants de l'armée de terre – Heer – sont en vert-de-gris. Kageneck porte l'uniforme noir à tête de mort – héritée de la cavalerie – des Panzers.

Un peu à part se tiennent, en feldgrau tirant sur le vert, les lieutenants des Waffen-SS. Ils encadreront l'armée privée de Himmler qui compte déjà cinq divisions.

Kageneck, qui les a côtoyés à l'École de guerre, sait qu'ils sont soumis à une discipline de fer, et fanatisés.

Un ordre. Tous se lèvent.

Kageneck aperçoit le Führer qui remonte le couloir central jusqu'à une petite tribune.

« Sa vareuse verte est décorée de la seule croix de fer. Le silence est total. Les dix mille lieutenants sont debout au garde-à-vous. »

« *Heil leutnante*, s'écrie Hitler.

– *Heil mein Führer* », répondent les jeunes officiers.

Hitler parle d'une voix hachée.

Discipline, tradition, Frédéric le Grand, le Grand Reich : les mots retentissent comme autant de commandements.

Le suprême devoir de l'officier est, dans la vie comme dans la mort, d'être un exemple pour ses hommes, répète le Führer.

Il exige l'obéissance absolue à ses ordres, « même ceux qui pourraient paraître insensés ».

« *Heil leutnante !* » conclut Hitler.

« Il quitte le Sportspalast, dans un silence total, les mains enfoncées dans le ceinturon. »

Von Kageneck rejoint le bataillon de reconnaissance de la IXe Panzerdivision auquel il a été affecté.

Il ne sait pas que quatre groupes d'intervention du Service de sécurité SS ont été constitués pour appliquer la *Kommissarbefelh*.

Ils agiront de leur propre initiative, liquidant les « commissaires » judéo-bolcheviques.

Des unités de police ont été créées, avec le même objectif : exécuter tous les fonctionnaires communistes, commissaires du peuple, Juifs occupant des fonctions dans l'État ou le parti communiste, ainsi que tout autre « élément radical ».

Kageneck ignore que plusieurs généraux – Walter von Reichenau, Erich von Manstein, Karl Henrich von Stülpnagel – ont émis des ordres de marche, qui révèlent le sens de la guerre contre la Russie que tout annonce.

Celui du général Erich Hoepner, publié le 2 mai 1941, est sans équivoque :

« La guerre contre la Russie est une étape fondamentale de la lutte du peuple allemand pour la survie.

« C'est la lutte ancestrale des Allemands contre les Slaves, la défense de la culture européenne contre le déluge moscovite et asiatique, la défense contre le bolchevisme juif.

« Cette lutte doit avoir pour objectif de réduire la Russie d'aujourd'hui en miettes et doit par conséquent être menée avec une dureté sans précédent. »

Mais von Kageneck, le visage fouetté par l'air printanier, roule vers l'est, debout dans la tourelle de son automitrailleuse.

Derrière, aussi loin que porte son regard, il voit cette colonne de Panzers, de camions, de motocyclettes.

L'impression de force est irrésistible.

Au bout de la route, à la lisière des forêts, il y a le fleuve Bug, la ligne de démarcation entre le Grand Reich et la Russie.

« Avant la dernière étape, nous couchons dans une petite ville perdue dont les maîtres sont des membres d'une unité montée de la Waffen-SS, raconte von Kageneck. Ils traitent royalement leurs camarades des Panzers : la bière et le schnaps coulent à flots. »

Le commandant de l'unité SS propose : « Voulez-vous voir un vrai Juif ? »

Poussé par un planton, le voici, petit homme d'une trentaine d'années, seul face à « tant d'officiers allemands ».

Le commandant l'interroge :

« Alors, Ferschel, combien as-tu roulé de gens aujourd'hui ? »

L'homme ne répond pas. Le SS décrète que son « petit youpin privé qu'il s'est réservé » a roulé au moins « dix braves commerçants chrétiens… Allez planton, donnez-lui dix bons coups dans le dos ».

« L'homme, raconte von Kageneck, s'était déjà laissé tomber à genoux, comme un mouton, et courbait la tête. »

« Mouton ? »

Le mot est révélateur de l'état d'esprit de von Kageneck.

Voulait-il que cet homme seul choisisse la mort face à ce groupe d'officiers des SS et des Panzers qui viennent de festoyer ?

« Nous étions atterrés, conclut Kageneck.

« C'était donc cela notre occupation en Pologne ?… L'expérience nous bouleversa profondément. »

Mais il ne se demande pas en reprenant sa route ce que sera la guerre en Russie.

Il roule.

« La grande forêt nous absorbe », dit-il.

Il faut camoufler les chars, les camions, les automitrailleuses.

Et attendre en regardant au-delà de la forêt, vers la Russie.

13.

La Russie ? L'Union des républiques socialistes soviétiques ? Le Komintern, cette Internationale communiste ?

La haine, la terreur, la passion, le dévouement qu'ils suscitent, un nom les incarne : Staline.

Joseph Staline.

Staline, l'énigmatique, le silencieux, l'insomniaque à la peau grêlée, dont on ne sait jamais où il se trouve.

Ce Géorgien râblé de soixante-deux ans, à la moustache et aux cheveux grisonnants, cherche-t-il le sommeil dans sa datcha de Kountsevo ?

Réside-t-il au Kremlin ?

Personne n'ose poser ces questions, s'interroger sur celui qui est devenu le « Tsar rouge ».

Il a dressé lui-même les listes de ses camarades communistes des années 1920 qu'il a décidé de « liquider ».

À Moscou, à Leningrad, mais aussi dans un village de Sibérie ou une ville d'Ukraine, les responsables politiques et les simples citoyens savent qu'ils peuvent être arrêtés, sans motif, et disparaître. Tués d'une balle dans la nuque ou enfouis dans un camp de concentration ou une cellule de la prison de Loubianka.

Dans les milieux de l'*intelligentsia*, on murmure avec effroi qu'il arrive à Staline de téléphoner au milieu de la nuit pour annoncer à un écrivain sa disgrâce : ses livres ne seront plus publiés. Pasternak, Boulgakov, Ilya Ehrenbourg ont reçu de tels appels qui glacent.

Car rien ne retient la main de Staline. Le couperet peut tomber, trancher une vie.

Ehrenbourg, en ce printemps 1941, a été ainsi réveillé.

Staline, en quelques phrases onctueuses, lui a dit que le roman antinazi qu'Ehrenbourg vient d'écrire – *La Chute de Paris* – n'est plus interdit mais qu'au contraire Staline souhaite qu'il soit lu par des millions de Soviétiques.

« Tu as bien travaillé, camarade Ilya. »

Ehrenbourg balbutie. Il en déduit que Staline change de politique et considère désormais que l'Allemagne nazie est l'ennemie, que la guerre est probable.

Ce serait donc la fin de ce pacte de non-agression germano-soviétique qui, par sa signature le 23 août 1939, a rendu inéluctable la guerre entre l'Allemagne et la France et l'Angleterre.

Selon Ehrenbourg de nombreux signes indiquent que Staline est prêt à affronter Hitler.

Comment Staline pourrait-il ignorer ces centaines de milliers de soldats allemands tapis dans les forêts de Pologne ?

Le *New York Times*, presque chaque jour, rappelle que cent divisions allemandes sont massées à la frontière soviétique et que « les relations entre Soviétiques et Allemands semblent atteindre un point critique ».

N'est-ce pas une manière de réponse que d'attribuer le prix Staline au film de Einsenstein, *Alexandre Nevski*, qui exalte la lutte au XIIIᵉ siècle de ce grand-duc de Novgorod contre les chevaliers Teutoniques ?

N'est-ce pas faire appel au patriotisme russe – et non plus aux idées communistes – que d'évoquer Alexandre Nevski, sanctifié par l'Église orthodoxe et célébré par le tsar Pierre le Grand ?

Staline est-il le successeur des tsars ou de Lénine ?

Cherche-t-il dans le passé russe le ressort qui dressera les Russes contre l'Allemand ?

La presse soviétique commence à publier des reportages sur la vaillance et l'héroïsme du peuple anglais qui refuse de plier malgré les bombardements terroristes de la Luftwaffe.

À Moscou, des officiers russes de l'état-major invitent à dîner l'attaché militaire britannique et l'on boit à la victoire sur l'ennemi commun allemand.

Mais ces signes, personne ne les commente.

On sait qu'il suffit d'un battement de paupières de Staline, d'un trait de crayon sous un nom, pour qu'on soit arrêté, déporté dans le Grand Nord, pour y creuser un canal et y mourir de froid et de faim.

On sait que les troupes du NKVD, la police politique, ont exécuté des milliers d'officiers polonais, à Katyn, dans les territoires acquis par la Russie après la signature du pacte germano-soviétique.

Et qui dénombrera les centaines de milliers de victimes ukrainiennes, baltes, russes ?

Alors on se tait, comme si Staline était tapi dans l'ombre, aux aguets, soupçonneux, prêt à frapper, à tuer.

Il vient de « purger » l'armée Rouge, en exécutant les meilleurs de ses officiers. Et les grands procès de Moscou ont brisé ceux qui au sein du parti communiste pouvaient être des rivaux.

En 1940, au Mexique, d'un coup de piolet, un agent de Staline a fracassé le crâne de Léon Trotski, l'adversaire le plus résolu de Staline.

On croit donc Staline capable de tout, et on le craint tant qu'on n'ose lui transmettre des informations qui pourraient contredire ses choix politiques.

Les connaît-on ?

A-t-il vraiment accepté l'idée que l'Allemagne va attaquer l'URSS ou bien pense-t-il qu'il peut repousser cette éventualité, peut-être jusqu'en 1942, ou mieux encore qu'il peut « circonvenir » Hitler, en lui livrant plus de blé et de pétrole, en félicitant le Führer pour les victoires allemandes dans les Balkans, en Grèce, en Crète, en Cyrénaïque ?

Et d'ailleurs, Staline ne soupçonne-t-il pas ces ennemis de l'URSS que sont l'Angleterre et les États-Unis, et d'abord ce vieil antisoviétique qu'est Churchill, de vouloir pousser l'Allemagne et la Russie à la guerre, puis à conclure une paix séparée entre l'Angleterre et l'Allemagne ?

Alors, Churchill tirerait les marrons du feu.

N'est-ce pas le sens de l'étrange arrivée de Rudolf Hess en Angleterre ? Et comment croire à la fable de la folie du numéro 2 du parti nazi, de l'un des deux héritiers désignés de Hitler !

Staline veut éviter ce piège, ne fournir à Hitler aucun prétexte pour le déclenchement de la guerre.

Il proteste contre les survols répétés du territoire soviétique par des avions de reconnaissance de la Luftwaffe. Mais au lieu de hausser le ton, quand la chute de l'un de ces avions confirme qu'ils sont bien équipés de caméra, Staline se montre conciliant.

« Le gouvernement soviétique a donné l'ordre de ne pas abattre les avions allemands survolant le territoire soviétique tant que de telles infractions resteront rares. »

L'ambassadeur allemand à Moscou, le comte von der Schulenburg, partisan de l'amitié germano-russe, essaie de convaincre Hitler des intentions pacifistes de Staline.

« Je suis certain, dit-il au Führer, que Staline est disposé à s'engager plus avant dans la voie des concessions. »

Hitler écoute, sans dévoiler à son ambassadeur l'existence du plan *Barbarossa*.

Il répond à Schulenburg que Staline peut être tenté d'attaquer l'Allemagne.

« Je dois être prudent. »

Il fait mine de croire à un renforcement des troupes soviétiques sur la frontière polonaise.

Schulenburg ose contester cette analyse de Hitler.

Il ignore que celui-ci ment effrontément, et que les ordres de marche, les plans d'attaque ont déjà été transmis aux généraux.

« À mon sens, dit l'ambassadeur, Staline s'alarme de la tension croissante des relations germano-soviétiques... Il veut, par ses efforts personnels, préserver l'URSS d'un conflit avec l'Allemagne. »

En fait, Staline, tout en veillant à ne pas « provoquer » Hitler, prend des mesures de précaution. Il signe un Pacte de non-agression avec le Japon, ce qui lui permettra de faire passer des divisions soviétiques de l'est de la Sibérie à la frontière avec la Pologne.

Il raccompagne lui-même le ministre des Affaires étrangères japonais Oruka Matsuoka à la gare de Moscou, lui donne l'accolade dans un geste de cordialité qui étonne, car on n'a jamais vu Staline céder à un mouvement spontané. Cette accolade a donc une valeur symbolique.

« Nous sommes des Asiatiques, nous aussi », confie-t-il au Japonais.

Schulenburg est présent sur le quai de la gare.

« Staline me fit signe d'approcher, raconte l'ambassadeur allemand, et m'entourant de son bras, il me dit : "Votre pays et le mien doivent rester amis, monsieur l'ambassadeur, et vous devez tout faire pour cela."

« Puis Staline se tourne vers le colonel Krebs, s'assure qu'il est bien l'attaché militaire allemand, et lui dit : "Nous resterons vos amis contre vents et marée." »

Staline veut donc croire que sa politique cherchant à étouffer la volonté allemande de faire la guerre peut – et doit – réussir. Il écarte toutes les informations qui la contredisent.

Aveuglement ?

Crainte de tomber dans le piège tendu par l'Angleterre ?

Souci d'éviter toutes les provocations ?

Et cependant, de toutes parts, on l'avertit de l'imminence de l'attaque allemande.

Churchill alerte personnellement Staline, dès le 3 février. Et l'ambassadeur britannique à Moscou, sir Stafford Cripp, semaine après semaine, transmet des rapports alarmants au ministre des Affaires étrangères, Molotov.

Dès la fin avril, il prédit pour le 22 juin 1941 l'ouverture des hostilités.

À Washington, le sous-secrétaire d'État, Summer Wells, convoque l'ambassadeur soviétique Oumanski, et donne au Russe le plan de campagne de l'état-major allemand.

« M. Oumanski pâlit et reste plusieurs secondes silencieux et dit : "Je me rends pleinement compte de la gravité de votre information et vais en faire part au Kremlin sur-le-champ." »

Mais Staline s'obstine, ordonne aux troupes placées sur la frontière de ne répondre à aucune provocation allemande.

Cette guerre ne doit pas avoir lieu.

Staline ne tombera pas dans les pièges qu'à Londres et Washington on lui tend.

Il ne veut même pas écouter ses propres espions.

L'Allemand Richard Sorge, en poste à l'ambassade nazie à Tokyo, transmet la date du 22 juin pour le déclenchement de l'attaque allemande.

Les espions du réseau *Orchestre rouge* dirigé par Léopold Trepper, et qui opèrent à Bruxelles et à Paris, confirment que la décision allemande est prise.

Et des communistes français prennent le risque de se présenter au consulat soviétique à Paris pour avertir les Soviétiques de l'attaque allemande.

Mais Staline ne modifie pas sa politique conciliante.

L'agence de presse Tass, le 14 juin, publie un communiqué dénonçant « la vaste tentative de propagande des puissances hostiles à l'URSS et à l'Allemagne qui souhaitent une extension du conflit.

« Suivant les informations soviétiques, l'Allemagne respecte scrupuleusement les clauses du pacte de non-agression germano-soviétique, tout comme l'URSS... ».

Le plan *Barbarossa* fixe l'attaque de l'URSS au 22 juin 1941... soit huit jours après la publication de ce communiqué.

Staline peut-il, enfermé dans ses certitudes, croire qu'il contraindra Hitler à ne pas attaquer la Russie ?

Son obsession du « complot » des puissances hostiles à l'URSS l'a-t-elle aveuglé ?

En fait, Staline a deux fers au feu.

L'un pour « désarmer » par des concessions l'agressivité de Hitler est poussé au rouge vif.

L'autre « fer » consiste à renforcer le potentiel militaire de l'URSS. Il est bien tard pour le « chauffer » mais Staline ne le néglige pas.

Le 1ᵉʳ mai 1941, il est sur la place Rouge.

Entouré des dirigeants du parti et des chefs militaires, il assiste à la parade de l'armée Rouge.

Le général Joukov répète qu'elle est « la plus puissante du monde » et annonce que l'année 1941 sera celle « de la reconstruction de tout le système d'entraînement et de formation des soldats ».

Des milliers d'hommes défilent au pas de parade.

Ils sont survolés par des centaines d'avions et suivis par des unités motorisées, de nouveaux chars, les KV1 et les T34, engins énormes, dont la maniabilité paraît grande.

On murmure dans l'immense foule qui assiste à la parade que les usines d'armement tournent à plein régime, qu'on en construit de nouvelles à l'abri des monts de l'Oural.

On dit aussi que les unités qui défilent se dirigeront, dès la fin du défilé, vers Minsk, Leningrad et la frontière polonaise.

Staline, serré dans sa vareuse, salue les unités d'un petit geste de la main.

Il paraît le plus insignifiant des dirigeants et des chefs militaires qui sont alignés sur la tribune située sur le mausolée de Lénine.

Mais le 6 mai, Staline devient Président du Conseil des commissaires du peuple.

Le secrétaire général du parti s'est mué en chef du gouvernement soviétique. Il concentre tous les pouvoirs.

C'est un signe du danger qui menace le pays.

On s'attend à la guerre et cependant on ne la croit pas possible. Hitler serait-il assez fou pour attaquer la première armée du monde, et ce pays où s'est désagrégée la Grande Armée, cet espace où s'enlisent depuis des siècles ceux qui croient pouvoir le conquérir ?

Le 5 mai, des centaines de jeunes officiers qui viennent de terminer leurs cours dans les académies militaires sont reçus au Kremlin par Staline.

On a rétabli, au bénéfice de ces jeunes hommes, le « commandement personnel des officiers ». Ils ne sont donc plus soumis à l'autorité des commissaires politiques.

Joukov a exalté le « professionnalisme militaire » et expliqué la défaite de la France par l'« avachissement de l'armée ».

« Ce ne sera pas le cas de l'armée Rouge », dit le général.

Staline prend la parole devant ces jeunes officiers figés, tant ils sont tendus, écoutant cet homme sans prestance, mais qui est un bloc de pouvoir auquel la crainte qu'il inspire donne une aura mystérieuse.

On est terrorisé par ce « tsar » et on a foi en lui.

Il parle quarante minutes d'une voix monocorde, sans aucune emphase.

« L'armée Rouge n'est pas encore assez puissante pour écraser facilement les Allemands, dit-il.

« Pas assez de chars, d'avions modernes, de soldats entraînés. Des défenses frontalières insuffisantes.

« Donc place aux moyens diplomatiques pour repousser une attaque allemande jusqu'à l'automne, et il sera alors trop tard pour les Allemands.

« Mais il sera presque inévitable que nous devrons combattre l'Allemagne en 1942.

« Les conditions seront bien plus favorables. Nous attendrons l'attaque ou nous attaquerons, car il n'est pas normal que l'Allemagne nazie s'installe comme puissance dominante en Europe. »

Sans forcer le ton, Staline conclut que les mois à venir, jusqu'au mois d'août 1941, seront les plus dangereux.

Il n'a jamais prononcé le nom de Hitler.

14.

Hitler, ce 14 juin 1941, à 11 heures du matin, écoute le général von Brauchitsch, qui vient de parcourir plusieurs secteurs des 2 400 kilomètres de ce qui sera dans huit jours le front de la Belgique à la mer Noire, de Leningrad à Sébastopol. Brauchitsch parle debout, devant le Conseil des chefs d'état-major des trois armes réuni pour la dernière fois avant l'assaut prévu pour le dimanche 22 juin.

Adolf Hitler avec le maréchal von Brauchitsch (*à gauche*) et le général Halder.

Hitler est assis au premier rang, les mains posées à plat sur ses genoux. Souvent, il croise les bras, mais ses gestes sont lents, il semble apaisé, attentif, concentré mais serein et presque joyeux.

« Les officiers et les hommes, dit Brauchitsch, sont prêts à bondir. Ils ont hâte de se battre. Tout est en place. Les reconnaissances ne signalent aucune mobilisation chez l'ennemi. »

À 12 h 30, lorsque la réunion s'interrompt pour le déjeuner, Hitler s'adresse à ses généraux. Il va et vient, frottant ses mains, le buste penché en avant, puis tout à coup, se redressant, la voix plus ample, les yeux fixes, il parle :

« La chute de la Russie obligera l'Angleterre à abandonner la partie, c'est là le premier objectif de notre attaque. Mais… »

Il s'interrompt, s'immobilise, reprend :

« Le combat que nous allons livrer dresse face à face deux idéologies antagonistes. »

Il lève la main droite, index pointé, comme un professeur qui fait la leçon :

« Les méthodes que nos soldats ont suivies jusqu'ici, dit-il, les seules admises par le code militaire international, doivent à présent s'ajuster à des principes absolument différents. »

Il a déjà dit cela plusieurs fois mais il doit le répéter, afin que ces généraux sachent que la Russie doit être brisée, qu'il faut répandre chez les Russes une terreur sans précédent, par des moyens brutaux.

Il félicite les généraux qui ont déjà rédigé des ordres de marche précisant pour les hommes qu'ils ont sous leurs ordres les caractéristiques nouvelles de cette guerre.

« Ce sera la plus grande offensive de l'Histoire », conclut-il.

Il va quitter Berlin, gagner son quartier général, la *Wolfsschanze*, la *Tanière du loup*, installée dans la grande forêt de la Prusse-Orientale.

Il est temps d'écrire à Mussolini, de lui annoncer quelques heures avant le déclenchement de l'attaque la décision qui a

été prise et dont on l'a tenu à l'écart, le laissant dans l'ignorance du plan *Barbarossa*.

« Duce, écrit Hitler.

« Je vous adresse cette lettre à l'heure où, après des mois
de délibérations tourmentées et d'attente exaspérante, je
viens de prendre l'une des décisions les plus graves de mon
existence.

« Quelle est aujourd'hui la situation ? L'Angleterre a
perdu la guerre et telle une noyée elle s'accroche à tous les
brins d'herbe.

« Il y a la Russie et les États-Unis, les deux espoirs de l'Angleterre.

« Les États-Unis manœuvrent l'aiguillon.

« La Russie va recevoir en 1942 une aide massive des
États-Unis. Ses forces massées à la frontière polonaise
empêchent le Reich de mobiliser toutes ses armées contre
l'Angleterre.

« Il faut donc détruire la menace russe.

« Duce,

« Après m'être longtemps mis le cerveau à la torture, j'ai
résolu de trancher le nœud coulant avant qu'il ne se resserre. »

Voici, dit-il à Mussolini, « ma vue d'ensemble sur la situation ».

« Nous n'avons aucune chance d'éliminer l'Amérique,
mais il est en notre pouvoir de supprimer la Russie. Sa dispa-
rition, en tant que grande puissance, apportera par ailleurs
un immense soulagement au Japon dont la participation
éventuelle au conflit impliquera pour les États-Unis une
menace extrêmement sérieuse.

« Pour toutes ces raisons, j'ai, Duce, résolu de mettre un
terme au jeu hypocrite du Kremlin. »

Hitler, comme chaque fois qu'il s'adresse à Mussolini,
introduit habilement dans ses propos une dimension affec-
tive.

Le Duce, il est vrai, n'est pas seulement le chef d'État mais l'inventeur du fascisme, l'organisateur en 1922 de la *Marche sur Rome* qu'en 1923, avec le « putsch de la brasserie », Hitler avait voulu imiter.

Hitler veut ainsi faire oublier à Mussolini que le Führer le place toujours devant le fait accompli. Il le flatte en faisant mine de le prendre pour confident.

« Laissez-moi vous dire encore une chose, Duce.

« Depuis qu'à la suite d'un long débat intérieur, j'ai pris la résolution d'agir, j'ai reconquis ma liberté spirituelle. Malgré mes sincères et persévérants efforts de conciliation, l'alliance germano-soviétique me fut souvent très irritante et, par certains côtés, m'apparaissait comme un reniement de mes origines, de mes conceptions et de mes devoirs antérieurs.

« Je suis heureux de m'être délivré de cette torture mentale.

« Cordialement et amicalement vôtre,

« Adolf Hitler. »

C'est le dimanche 22 juin, à 3 heures du matin, une demi-heure à peine avant le signal de l'offensive, que von Bismarck remet au comte Ciano, ministre des Affaires étrangères de Mussolini, la missive du Führer.

Le Duce réveillé s'emporte, comme chaque fois que Hitler, « cet Allemand », n'a aucune considération pour lui, en le forçant à sauter du lit à n'importe quelle heure !

« Dans cette histoire, lance Mussolini à son gendre Ciano, je ne souhaite qu'une chose : que le Reich y laisse beaucoup de plumes. »

15.

C'est l'aube du dimanche 22 juin 1941, après la nuit la plus courte de l'année.

Le lieutenant von Kageneck est couché sur la paille à même le sol, dans la grande salle d'une ferme où il a élu domicile avec les autres officiers de son bataillon de Panzers.

Il est réveillé par son lieutenant Mayer qui a pris l'habitude de sortir à l'aube.

Il fait déjà chaud.

Le 22 juin 1941 s'annonce comme un jour semblable aux autres.

À Moscou, dans la nuit, l'ambassadeur von der Schulenburg reçoit un message de Ribbentrop.

« Secrets d'État – Très urgent – Strictement personnel – Dès réception détruisez tous vos codes et sabotez vos émetteurs. Voyez Molotov de toute urgence et notifiez-lui la déclaration suivante. »

Schulenburfg la lit, accablé par le cynisme de Hitler qui accuse la Russie d'avoir violé le pacte germano-soviétique, « d'avoir rassemblé à la frontière allemande toutes ses forces armées sur pied de guerre ».

Or Schulenburg sait que 3 millions de soldats allemands et 500 000 soldats roumains et hongrois attendent un signal pour entrer en Russie ! Et ils sont appuyés par 3 600 blindés,

600 000 véhicules divers, des dizaines de milliers de pièces d'artillerie, et 2 700 avions. Et ce serait la Russie qui menacerait l'Allemagne !

Hier encore, Molotov demandait quels pouvaient être les griefs allemands et se déclarait prêt à en tenir compte et à modifier l'attitude soviétique.

Schulenburg qui est reçu, à sa demande, par Molotov à l'aube de ce dimanche 22 juin, est bouleversé.

Il croyait à l'*Ostpolitik*, à l'entente entre la Russie et l'Allemagne. Il était persuadé que Staline ne voulait pas la guerre, et il doit se contenter de lire d'une voix étranglée cette *Déclaration* qui annonce la guerre :

« En conséquence, écrit Ribbentrop, le Führer a donné ordre aux forces armées du Reich de parer à la menace selon tous les moyens dont elles disposent. »

Molotov, après avoir écouté en silence, sans marquer la moindre surprise ou émotion, dit :

« C'est la guerre. Trouvez-vous, monsieur l'ambassadeur, que nous avons mérité cela ? »

À Berlin, l'ambassadeur soviétique, convoqué à la Wilhelmstrasse, a cinq minutes de retard « pendant lesquelles Ribbentrop arpente son cabinet de long en large comme un fauve en cage. Jamais, continue l'interprète, le Dr Schmidt, je ne l'avais vu si fébrile. L'ambassadeur Dekanozov est enfin introduit et, ignorant de ce qu'il allait apprendre, tend la main à Ribbentrop. Nous nous asseyons et l'ambassadeur se met en devoir d'exposer les récriminations de son gouvernement. Ribbentrop, le visage figé, l'interrompt aussitôt. "Aujourd'hui, dit-il, la question est dépassée." »

L'ambassadeur pâlit comme terrassé en entendant Ribbentrop annoncer que l'Allemagne prend des « contre-mesures militaires sur la frontière russe ».

« Mais il se ressaisit promptement, continue Schmidt, et exprime ses profonds regrets d'un acte dont le Reich porterait l'entière responsabilité. Il se lève, s'incline pour la forme et se retire sans serrer la main de Ribbentrop. »

Semen Timochenko.

C'est à 2 heures du matin, le dimanche 22 juin, que Staline s'est couché dans sa datcha de Kountsevo.

Pendant toute la soirée, il a, impassible, mâchonnant sa pipe, écouté le général Joukov et le maréchal Timochenko, commissaire à la Défense, rapporter différents indices qui annoncent une attaque allemande imminente.

Dans la journée du 21 juin, un déserteur allemand a averti les officiers qui l'interrogent que l'invasion nazie se produirait le dimanche 22 juin à l'aube.

Timochenko et Joukov ont obtenu l'autorisation d'alerter les autorités militaires des régions de Leningrad, de la Baltique, de Kiev et d'Odessa.

Mais Staline a exigé qu'on mette en garde les troupes contre des actions de provocation, auxquelles il ne faut pas répondre.

Il décide cependant de mettre en alerte 75 % de la défense aérienne de Moscou.

Mais toute son attitude laisse entendre que s'il croit à la possibilité de la provocation, il n'imagine pas une attaque générale.

Timochenko et Joukov n'osent pas contredire Staline, mais ils sont persuadés que le début de la guerre n'est plus qu'une affaire d'heures, voire de minutes.

Staline s'endort.

Joukov le réveille vers 5 heures du matin.

« C'est la guerre », dit-il au colonel Vlassik, commandant les gardes de Staline. Il peut ainsi parler à Staline.

Une heure plus tard, le secrétaire général du parti et président du gouvernement est dans son bureau au Kremlin et doit admettre que l'invasion a commencé.

Dans cette nuit si brève et si claire, alors que l'artillerie allemande est entrée en action, l'express Berlin-Moscou roule à travers les lignes sans incident.

Moments étranges.

Les Russes ne répliquent pas aux premiers tirs allemands.

Les stations d'écoute allemande captent les messages en clair des unités russes à leur quartier général.

« Les Allemands nous tirent dessus, que faut-il faire ? »

Le QG répond :

« Êtes-vous devenus fous ? Et pourquoi votre message n'est pas chiffré ? »

Le lieutenant von Kageneck s'étonne de l'attitude du lieutenant Mayer qui, revenu de sa sortie à l'aube, frappe dans ses mains afin que tous les officiers encore couchés sur leurs bottes de foin se lèvent.

Mayer a écouté au poste de radio de son char le premier bulletin de la radio de Berlin et un discours du Führer.

« Vous pouvez vous préparer, dit Mayer à ses camarades. Depuis un quart d'heure nous sommes en guerre avec la Russie. »

On s'exclame, on crie, on se donne des bourrades, on se précipite hors de la ferme.

« À présent, je l'avais "ma" guerre, dit Kageneck. Jc l'attendais depuis si longtemps !

« Le temps de l'impatience prenait fin. Celui si ardemment désiré des épreuves commençait. »

DEUXIÈME PARTIE

22 juin
—
octobre 1941

« Un coup de pied dans la porte et tout cet édifice s'écroulera. »

HITLER,
parlant de la Russie au général Jodl
Juin 1941

« On peut affirmer sans exagération, après avoir pris connaissance du dernier rapport de l'état-major, que notre Feldzug russe sera virtuellement achevée en quatorze jours. D'ici quelques semaines tout sera dit. »

Général HALDER
3 juillet 1941

« Camarades, citoyens, frères et sœurs, combattants de notre armée et de notre marine ! Je m'adresse à vous, mes amis... L'ennemi est cruel et sans pitié... Il n'y a pas de place parmi nous pour les pleurnichards, les lâches, pour les déserteurs et les semeurs de panique...
Tous les biens utilisables qui ne pourront pas être évacués devront être détruits.
Dans les territoires occupés, des unités de partisans doivent être formées... L'ennemi et ses complices doivent être harcelés et détruits à chacun de leurs pas. »

STALINE
3 juillet 1941

16.

Ce dimanche 22 juin 1941, le soleil se lève sur la guerre.

Le sol tremble. Des dizaines de milliers de canons et de mortiers – cinquante mille ? – ont ouvert le feu, de la Baltique à la mer Noire.

Les explosions sur la rive orientale des fleuves – le Bug, les affluents de la Vistule – font jaillir des gerbes rousses et noires. Les villages tenus par les Russes brûlent. Les fusiliers, les SS de la division Wiking se sont lancés à l'assaut et s'emparent des ponts sur le Bug avant qu'un seul ne soit détruit par les Russes.

Il fait chaud.

Dans les tourelles de leurs Panzers, les officiers retirent leurs vestes noires qui portent l'écusson à tête de mort transmis par les « hussards de la mort » de Guillaume II.

On assure que les chevaliers Teutoniques avaient fait de cette tête de mort leur emblème au temps où ils s'enfonçaient dans les terres russes, qu'ils allaient germaniser, coloniser, christianiser.

L'air vibre quand passent en rase-mottes les bombardiers de la Luftwaffe qui vont écraser sous leurs bombes les escadrilles russes avant qu'elles aient pu décoller.

Offensive éclair allemande contre l'URSS le 22 juin 1941.

Et, tombant du ciel, les Stuka hurlent en bombardant en piqué les troupes russes qui refluent devant l'assaut de cent soixante divisions allemandes, roumaines, hongroises, soit plus de 3 millions d'hommes.

Les chenilles des dix-sept divisions de Panzers, les roues des milliers de véhicules – motocyclettes, camions, vélos –, les pas de ces millions de fantassins, grenadiers, fusiliers, groupes d'assaut, font lever sur les chemins non asphaltés une poussière rouge et jaune, grasse et épaisse, qui colle à la peau, envahit les moteurs, les armes, obscurcit les appareils de visée des canons et des mitrailleuses.

Elle emplit la bouche et les narines, voile le regard, se dépose sur les lunettes de protection.

Elle pue la mort.

« La guerre me prenait à la gorge et ne me lâcherait plus », écrit le lieutenant August von Kageneck.

Alors qu'avec son groupe blindé, il pénètre en Russie, que de vastes territoires – ceux dont la Russie s'était emparée, après la signature du pacte germano-soviétique – sont conquis par les Allemands, les Russes semblent refuser de comprendre que c'est la guerre qui s'abat sur eux !

« On aurait dit que chacun s'attendait à la guerre depuis longtemps, rapporte l'écrivain Constantin Simonov, et pourtant au dernier moment la *chose* fulgura comme un éclair dans un ciel bleu ; il était manifestement impossible de se préparer à l'avance à un malheur aussi affreux. »

Après plusieurs heures d'invasion, ce dimanche 22 juin, le haut commandement russe paraît garder l'espoir d'éviter la guerre.

On assure même que Staline, terré au Kremlin, peut-être ivre, se refuse à prendre la parole.

Il aurait demandé au Japon sa « médiation entre le Reich et l'URSS dans le différend politique et économique qui les divise ».

Mais la guerre est là, les troupes russes cèdent du terrain tout en combattant souvent héroïquement.

Les bombardiers allemands détruisent les gares, les voies ferrées.

L'exode mêle soldats et civils.

Des parachutistes allemands largués sur les arrières russes attaquent, sèment la panique.

Des Ukrainiens, des Baltes, hostiles aux Russes, attaquent les voitures de l'armée Rouge, font sauter les ponts. Les communications sont coupées. Le maréchal Timochenko, commissaire à la Défense, lorsqu'il réussit enfin à joindre le général Boldine qui commande les troupes sur la frontière, soumises depuis plusieurs heures à l'attaque allemande, répète :

« Camarade Boldine, souvenez-vous qu'aucune action ne doit être entreprise contre les Allemands sans que nous en soyons informés. Voulez-vous dire au général Pavlov que le camarade Staline a interdit de faire donner l'artillerie contre les Allemands.

– Mais ce n'est pas possible, crie Boldine dans le récepteur. Nos troupes sont en pleine retraite. Des villes entières sont en flammes, des gens sont tués…

– Non, dit Timochenko, il ne doit pas y avoir de reconnaissance aérienne au-delà de 50 kilomètres après la frontière…

« Je demandai – en vain – de pouvoir lancer dans la bataille tout le poids de notre infanterie, de notre artillerie, et de nos unités blindées et notamment de nos batteries antiaériennes, explique Boldine. Mais Timochenko répéta : "Non, non…" »

« Un certain temps s'écoula avant que Moscou nous ordonnât de mettre en action le "Paquet rouge", c'est-à-dire le plan de couverture de la frontière, mais l'ordre arriva trop tard… Les Allemands avaient déjà engagé des opérations militaires sur une grande échelle et, en plusieurs points, ils avaient déjà profondément pénétré dans notre territoire… »

Vers midi, ce dimanche 22 juin 1941, près de neuf heures après le début de l'attaque allemande, Molotov, commissaire aux Affaires étrangères, prend la parole.

« Où est Staline ? » n'ose-t-on même pas murmurer.

« Hommes et femmes, citoyens de l'Union soviétique, commence Molotov. Le gouvernement soviétique et son chef, le camarade Staline, m'ont chargé de faire la déclaration suivante… »

Viatcheslav Molotov.

Molotov parle d'une voix hésitante et sourde. Il bégaye parfois, argumente :

« L'URSS a respecté scrupuleusement les clauses du pacte germano-soviétique.

« Cette attaque est un acte de perfidie… de piraterie. »

Molotov évoque « la grande guerre patriotique » de 1812, quand Napoléon a été vaincu.

« L'arrogant Hitler connaîtra le même sort.

« Le gouvernement fait appel à vous, hommes et femmes, citoyens de l'Union soviétique, pour rallier en rangs plus serrés encore le glorieux parti bolchevique, le gouvernement soviétique et notre grand chef, le camarade Staline.

« Notre cause est bonne, l'ennemi sera écrasé, la victoire sera pour nous. »

Dans les halls d'usine, sur les places, des haut-parleurs ont retransmis le discours de Molotov.

On baisse la tête, on se tait. Le discours ne soulève ni émotion ni enthousiasme.

Molotov a répété ce qu'il a dit à l'ambassadeur de von der Schulenburg à l'aube de ce jour.

« C'est la guerre ! Trouvez-vous monsieur l'ambassadeur que nous avons mérité cela ? »

Hitler n'était qu'« arrogant » !

Et le silence de Staline entretenait le malaise.

Heureusement, dans la nuit du 22 au 23 juin – moins de vingt-quatre heures après le déclenchement de l'assaut nazi –, Churchill prend la parole.

Voix claire, fière et forte.

« Nul plus que moi, dit Churchill d'emblée, n'a été un adversaire constant du communisme au cours de ces vingt-cinq dernières années. Je ne renie rien de ce que j'ai dit sur ce point… »

Il poursuit avec une telle conviction : « Hitler veut détruire la puissance russe parce qu'il espère, s'il réussit, amener le gros de ses forces à l'ouest et les jeter sur notre île » qu'il dissipe les soupçons que les Russes avaient accumulés depuis l'accord de Munich, et surtout depuis l'équipée de Rudolf Hess en Angleterre.

Mais le ton, la sincérité, l'émotion de Churchill les touchent :

« Je vois les soldats russes sur le seuil de leur terre natale, dit Churchill, je les vois protégeant leurs foyers où leurs mères et leurs femmes prient – ah oui, il y a des moments où tout le monde prie ! – pour ceux qu'elles aiment !

« Et je vois s'avancer vers ces gens le hideux assaut de la machine de guerre nazie... Je vois le Hun stupide, robot docile et brutal, s'abattre comme s'abattent les sauterelles ! »

Ce discours de la vérité et de la détermination frappe davantage que le terne – et presque larmoyant – propos de Molotov.

Et il a effacé le premier communiqué officiel publié le dimanche 22 juin, texte convenu dont chaque Russe soupçonne qu'il est mensonger.

« Aujourd'hui, les forces allemandes régulières ont attaqué nos troupes des frontières et remporté des succès de faible importance en plusieurs secteurs. Au cours de l'après-midi, des éléments d'infanterie de l'armée Rouge sont arrivés à la frontière et les attaques des troupes allemandes ont été repoussées sur presque toute l'étendue du front. »

Le silence de Staline devient d'autant plus lourd que Churchill s'est exprimé en allié résolu, qu'une mission militaire anglaise est déjà en route vers la Russie en passant au nord par Arkhangelsk. Roosevelt a fait savoir ce 23 juin qu'il apporterait toute l'aide possible à la Russie.

Mais les Russes, peu nombreux, qui disposent d'un poste de radio privé – il faut les remettre à la milice car seuls ont le droit de les conserver les diplomates étrangers, les journalistes et les hauts fonctionnaires russes – savent qu'une part importante des milieux politiques américains est réservée.

Elle rappelle les crimes de Staline – « il a autant de sang sur les mains que Hitler ». Elle évoque le pacte germano-soviétique et l'annexion par les Russes d'une partie de la Pologne, des pays baltes.

Et on estime que Hitler peut vaincre les Soviétiques en quatre-vingt-dix jours.

Le 28 juin, les troupes allemandes s'enfoncent dans les républiques baltes, Lituanie, Lettonie, dont la population les accueille en libérateurs.

La ville de Pskov est menacée : elle est sur la route de Leningrad.

Ce même 28 juin, les Panzers atteignent la ville de Minsk. Sur la même route, plus à l'est, il y a Smolensk et Moscou ! Plus au sud, c'est Kiev qui est déjà en péril, Rostov et, au-delà, la Volga et Stalingrad.

Les Allemands ont l'impression de revivre la *Blitzkrieg*, telle qu'ils l'ont conduite en Pologne en septembre 1939, et en France en mai et juin 1940, il y a juste un an.

Dans son automitrailleuse, le lieutenant August von Kageneck, qui va avoir dix-neuf ans, découvre la guerre, les morts que la chaleur décompose, que des myriades de mouches recouvrent. Mais à la nausée, car la puanteur est épaisse comme la poussière, succède l'enthousiasme quand il découvre, « image inoubliable, cent soixante chars hauts et fiers comme des bateaux qui voguaient sur une mer jaune de blé mûr ».

Après son premier combat, il écrit :

« J'avais entendu de vraies balles. J'avais senti pour la première fois ce mélange de peur, de fièvre, d'exaltation et d'orgueil. Oui, l'orgueil de l'emporter sur les autres, d'avoir tenu dans la tempête, d'appartenir à une race désormais à part. »

Il participe à la prise de Tarnopol, ville polonaise de Galicie acquise par les Russes en 1939 mais, ajoute Kageneck, « jadis la ville la plus orientale de l'Empire des Habsbourg ».

« Je hurlai de plaisir dans le crépitement des explosions… Une frénésie de destruction m'emportait. Je voulais leur faire payer nos morts et nos blessés. Tant pis si une église brûlait. »

Il sera récompensé par son chef de bataillon, le major Ohlen.

« Au nom du Führer, commandant suprême de la Wehrmacht, je vous remets la croix de fer de deuxième classe, pour votre bravoure lors de la prise de Tarnopol... Vous n'avez que dix-huit ans, vous pouvez être fier !

– Je le suis, *Herr Major*.

« Le soir même, raconte Kageneck, je devais apprendre à quoi avait servi ma "bravoure". »

L'un de ses soldats, bouleversé, lui apprend qu'en deux jours la division SS Wiking a assassiné toute la population juive de Tarnopol.

On dénombre plus de quinze mille hommes, femmes et enfants assassinés.

On raconte que les SS à court de munitions ont ordonné à leurs victimes de s'entretuer elles-mêmes avec tout ce qui leur tombait sous la main !

Le lendemain, la rumeur se répand que le *Gruppenführer* Eicke, général commandant la division Wiking, a été relevé de ses fonctions par le Führer.

Et le chef de bataillon Ohlen affirme à ses officiers que la *Kommissarbefeld* – l'exécution de tous les commissaires politiques – décrétée par le Führer ne sera pas applicable dans les unités de la IXe Panzer.

On peut donc continuer à combattre aux côtés des SS. Il suffira de tourner la tête !

Le 3 juillet 1941, douze jours après le début de l'attaque allemande, le général Halder écrit :

« On peut affirmer sans exagération après avoir pris connaissance du dernier rapport de l'état-major que notre *Feldzug* russe sera virtuellement achevée en quatorze jours. D'ici quelques semaines, tout sera dit. »

17.

Ce 3 juillet 1941, enfin Staline parle.

Il est 6 h 30 du matin et, sur toutes les places de Moscou et des autres grandes villes de l'Union soviétique – et parfois à l'autre bout du pays –, c'est encore – ou déjà – la nuit, sa voix grave à l'accent géorgien fige les passants.

Ils lèvent la tête vers les haut-parleurs et il semble qu'ils scrutent le ciel laiteux d'une journée d'été qui commence.

Dans les grandes usines métallurgiques où l'on fond le minerai de fer qui deviendra acier, qui se transformera en chars T34, en canons, en casques, les ouvriers ont cessé le travail et fixent eux aussi les haut-parleurs.

Et il en est de même dans les casernes où sont rassemblés les volontaires, sur le front, on entend la même voix.

Enfin Staline parle, lentement, de sa voix sourde.
Et dès les premiers mots, l'émotion serre la gorge.

« Camarades, citoyens, frères et sœurs, combattants de notre armée et de notre marine !
« Je m'adresse à vous, mes amis. »
Il n'a jamais parlé ainsi. Il devient le paysan et le pope, le tsar et le tyran communiste, celui qu'on suit, auquel on obéit.

Et ce n'est pas la peur du knout, de la balle dans la nuque, de la déportation au-delà du cercle polaire qui fait qu'on tremble en l'écoutant.

C'est qu'il est des « nôtres ». « Nous sommes », il l'a dit, ses frères, ses sœurs, ses amis, parce que nous devons faire face ensemble à un « ennemi cruel et sans pitié », à « l'ennemi le plus néfaste, le plus perfide : le fascisme allemand ».

Et Staline nous dit que nous sommes la Sainte Russie, la Russie qui a vaincu les chevaliers Teutoniques avec Alexandre Nevski, qui a détruit l'armée de Napoléon avec Souvorov et Koutouzov, qui à l'appel du grand Lénine a vu se lever les partisans qui ont défait les armées de Guillaume II puis les armées blanches.

Il dit toute l'histoire russe, lorsqu'il répète « frères et sœurs ».

Il parle sans grandiloquence, d'une voix sourde et calme, et l'on devine pourtant l'émotion qui l'étreint, peut-être parce que le souffle est lourd, révèle la fatigue.

Il s'interrompt et on entend le bruit de l'eau qu'il boit.

Puis, il dit : « Une sérieuse menace plane sur notre pays. »

Et l'on apprend que Leningrad est déjà menacé, que Smolensk est encerclé et va tomber, et au bout de cette route il y a Moscou.

Un village en feu sur le front russe.

Les avions allemands ont bombardé Mourmansk, Mohilev, Kiev, Odessa et Sébastopol.

La vérité est amère, mais elle est dite enfin après douze jours de retraite, de défaite.

Les troupes russes ont reculé de 500 kilomètres et abandonné des centaines de milliers de prisonniers.

Mais de savoir cela rend le sol plus ferme sous les pas. Parce qu'il y a cet homme qui ose s'interroger à haute voix :

« Comment le gouvernement soviétique a-t-il pu signer un pacte de non-agression avec des voyous inhumains comme Hitler et Ribbentrop ? N'avons-nous pas fait une faute sérieuse ? »

Et il répond :

« Non, certes.

« Nous voulions la paix. Pourquoi la refuser ? Mais maintenant, il faut détruire cet ennemi cruel et sans pitié. »

Et pour cela, « se battre jusqu'à la dernière goutte de sang pour nos villes et nos villages ».

Si l'on est contraint de reculer : « Tous les biens utilisables doivent être détruits s'ils ne peuvent être évacués. »

Des unités de partisans doivent être formées.

« Il faut créer des conditions intolérables pour l'ennemi et ses complices qui doivent être harcelés et détruits à chacun de leurs pas. »

Il dit : « Les voyous germano-fascistes, ceux qui veulent rétablir le tsarisme et faire des peuples de l'URSS les esclaves des princes et des barons allemands seront vaincus. »

Il ne dit pas : « Ils n'entreront jamais dans Leningrad et Moscou », mais chacun l'entend.

On ferme les poings, on serre les dents. Car commence un temps terrible. On détruira ce qu'on a construit. On sera encore plus impitoyable qu'on ne l'a été !

« Il n'y a pas de place dans nos rangs, dit Staline, pour les pleurnichards, les lâches, pour les déserteurs et les semeurs de panique… Il faut détruire les espions, les diversionnistes, et les parachutistes allemands. »

On va créer des milices, un *Comité national de défense* est mis en place. Et Staline le présidera. Molotov, Beria, Malenkov, Vorochilov seront auprès de lui.

« Camarades, nos forces sont immenses. L'insolent ennemi en fera bientôt l'expérience.

« Toute la puissance de notre peuple doit être mise en œuvre pour écraser l'ennemi. En avant pour la victoire ! »

Un journaliste du *New York Times*, Erskine Caldwell, écoute, regarde autour de lui, les Moscovites serrés les uns contre les autres, la tête levée, comme s'ils voulaient que cet homme, ce Staline si cruel, continue de parler, comme si sa tyrannie, sa brutalité, sa violence impitoyable, son mystère devenaient des qualités.

« J'étais au milieu de la foule sur une place toute proche de la place Rouge, écrit Caldwell dans le *New York Times* du 4 juillet 1941. J'observais les gens tandis qu'ils écoutaient la voix de Staline transmise par les haut-parleurs. Il n'y avait ni bruit ni démonstration d'aucune sorte.

« Hommes et femmes retenaient leur souffle si bien que l'on pouvait saisir la moindre inflexion de la voix. Le silence était si profond qu'à deux reprises durant l'allocution j'entendis le bruit de l'eau dans un verre auquel but Staline par deux fois en s'arrêtant de parler.

« Le seul commentaire audible fut émis plusieurs minutes après la fin du discours de Staline par une mère de famille : "Il travaille tant qu'il est étonnant qu'il trouve du temps pour dormir. Je suis inquiète pour sa santé."

« Évidemment, elle exprimait les sentiments de ceux qui l'écoutaient car la plupart hochèrent la tête en guise d'approbation. »

On sait, on murmure qu'il travaille jusqu'à 5 heures du matin. Que le général Chtémenko l'informe dès 10 heures des opérations militaires de la nuit. Vers 16 heures, nouveau rapport.

La réunion de la *Stavka*, l'état-major général, a lieu tard dans la soirée. Elle se prolonge par un dîner, la projection d'un film.

Staline terrorise les participants.

En ce mois de juillet 1941, il a fait fusiller le général d'armée Pavlov et tout l'état-major du district militaire spécial de l'Ouest qui commandaient les troupes en Biélorussie.

Châtiment exemplaire qui sème l'effroi et galvanise, fait prendre conscience que cette guerre est sans pitié et qu'il faut vaincre ou mourir.

Le général Fedyuninsky, qui commande dans le secteur de Kiev, évoque non pas l'exécution du général Pavlov et ses proches officiers, camarades qu'il connaissait et côtoyait, mais l'accueil par la troupe du discours de Staline du 3 juillet 1941.

« Il n'est pas facile de décrire l'enthousiasme considérable et l'élan patriotique qui accueillirent cet appel. Il nous sembla soudain que nous étions plus forts.

« Quand les circonstances le permirent, les unités de l'armée tinrent de brèves réunions. Des instructeurs politiques expliquèrent comment, en réponse à l'appel de Staline, le peuple tout entier se levait comme un seul homme pour combattre pour la Sainte Patrie... »

C'était comme si chaque Russe, soldat, officier, ouvrier, paysan, voulait oublier ce qu'il avait vécu, depuis plus d'une décennie : la terreur, les arrestations, les déportations, les exécutions par les hommes du NKVD.

Pas une famille russe pourtant qui n'ait eu à subir ce joug. Et les pelotons d'exécution du NKVD étaient toujours à l'œuvre. Le général Pavlov et son état-major venaient d'être passés par les armes. Et d'autres, qualifiés de traîtres, d'oppositionnels, d'espions, de déserteurs et de semeurs de panique, allaient subir le même sort.

Mais on oubliait le tyran.

On ne s'interrogeait pas sur les raisons de son silence durant les douze jours cruciaux qui avaient suivi l'invasion allemande, parmi les plus sombres de l'histoire russe.

Saline était-il effondré, ivre ?

Peu importait. Il parlait ce 3 juillet : il restait le tyran, mais on entendait les mots « amis », « frères », « sœurs ». Il était la voix de la Russie.

Alors, au moment où la retraite de l'armée Rouge de plus de 500 kilomètres et l'ampleur de ses pertes caractérisaient la situation militaire, la *Pravda* du 9 juillet titrait :

« Vive le Grand Staline, l'instigateur et l'organisateur de nos Victoires. »

18.

Ce 9 juillet 1941, le titre de la *Pravda* n'étonne pas Alexander Werth, correspondant de guerre du *Sunday Times*. Il est arrivé en Russie le 3 juillet, avec la mission militaire britannique.

Seize heures de vol des Shetland à Arkhangelsk, à bord d'un hydravion Catalina, puis, après une courte escale, cinq heures de vol « dans un splendide et énorme Douglas » jusqu'à Moscou.

La ville, ensoleillée, avec ses rues populeuses et ses boutiques amplement garnies, émeut Alexander Werth [1].

Il est d'origine russe – il a vécu jusqu'à dix-sept ans à Saint-Pétersbourg, avenue Leningrad. Citoyen britannique mais aussi russe, il connaît les réalités soviétiques.

Il sait que derrière le titre grandiloquent de la *Pravda* se cachent les défaites, les centaines de milliers de prisonniers, l'avancée allemande jusqu'à Smolensk tombé le 16 juillet après Minsk, et sûrement peu de semaines avant Kiev.

Mais Moscou paraît confiant.

Les passants se pressent devant les affiches représentant un char russe écrasant un crabe géant, ou bien un soldat de l'armée Rouge enfonçant sa baïonnette dans la gorge d'un rat : et ce rat et ce crabe ont la tête de Hitler.

---

1. Alexander Werth, *La Russie en guerre*, Paris, Stock, 1964. Admirable livre d'analyse et en même temps grand reportage. Une « source ».

« Écrasez la vermine fasciste », dit la légende.

D'autres affiches appellent les « femmes à aller travailler dans les kolkhozes, à remplacer les hommes partis aux armées ».

Werth croise souvent dans les rues des soldats en armes qui marchent en chantant et se dirigent vers les gares qui les conduiront au front, dans cette ligne de défense établie à l'est de Smolensk et qui, à coups de contre-attaques meurtrières, a arrêté la *Blitzkrieg* des Panzers du général Guderian et du général von Bock.

Werth rencontre aussi des miliciens, des jeunes gens requis pour la défense passive, car l'état-major estime que la Luftwaffe procédera à des raids sur Moscou. Dès le 10 juillet ont été organisés des abris antiaériens.

Il constate la mise en route de la mobilisation de tout le peuple.

Les volontaires rejoignent ainsi leurs points de rassemblement, avec leurs maigres ballots ou leurs petites valises.

Des « bataillons ouvriers » ont été mis sur pied.

Si la ville est attaquée, ces hommes doivent défendre leurs usines contre les « fascistes ». Il en est ainsi à Moscou, à Leningrad, à Stalingrad.

Mais les femmes et les enfants sont invités à quitter Moscou. On distribue des permis qui les affectent à telle ou telle ville, au-delà de la Volga, loin à l'est de l'Oural. Alexander Werth, le 11 juillet, fait le tour des gares.

« À la gare de Koursk, je vis pleurer beaucoup de femmes qui se rendaient à Gorki : peut-être ne reviendraient-elles pas de longtemps à Moscou, peut-être les Allemands allaient-ils arriver[1]... »

Ils ont pris Smolensk.

---

1. *Ibid.*

Ce jour-là, 16 juillet 1941, Staline rétablit les commissaires politiques. Il faut insuffler aux troupes l'esprit patriotique, la fidélité au parti bolchevique et le sens du sacrifice.

Les vieux maréchaux, Boudienny – un « homme doté d'une immense moustache mais d'un très petit cerveau » – qui commande l'axe du sud-ouest (Ukraine, flotte de la mer Noire), Vorochilov (axe nord-ouest Leningrad, la Baltique et sa flotte) sont d'anciens de la guerre civile des années 1920. Ils sont favorables à la propagande politique dans l'armée. Timochenko – qui commande l'axe du Centre, Smolensk – est plus réservé.

Et il en est de même des jeunes généraux, et d'abord Joukov qui ose tenir tête à Staline, mais aussi Tolboukhine, Rokossovski, Koniev.

Mais quel que soit leur point de vue, ils veulent arrêter les Allemands.

Ils ont constitué une ligne de défense à l'est de Smolensk. Ils disposent d'une arme nouvelle, les *Katioucha*, des mortiers lanceurs d'obus-fusées qui, tirés par plusieurs tubes accolés, explosent dans un fracas de tonnerre.

« Les explosions simultanées de douzaines d'obus frappent les imaginations. Pris de panique, les Allemands s'enfuient dans la zone des explosions. On voit même des soldats russes à qui il avait fallu cacher qu'on allait employer de nouvelles armes s'éloigner en hâte de la ligne de front », explique un général.

La *Blitzkrieg* est brisée.

Du temps est gagné pour préparer la défense de Moscou.

Le climat au cours de ces semaines perdues va changer.

La pluie peut venir vite, dès septembre, transformant la poussière, la terre en boue, bloquant les divisions de Panzers. Après les averses, ce sera le gel, les moteurs qu'on ne peut mettre en route, les températures pouvant descendre à moins 40 degrés !

Les Russes se souviennent de Napoléon, de la retraite de la Grande Armée ; de la Bérézina, ce fleuve que viennent de franchir les Panzers de Guderian.

Mais il y aura le retour…

« C'est une guerre moche, confie un capitaine à Alexander Werth. Vous ne pouvez vous imaginer quelle haine les Allemands ont suscitée dans notre peuple. Il y a dans l'armée Rouge des hommes assoiffés de vengeance. Nos officiers ont quelquefois du mal à empêcher nos soldats de tuer les prisonniers allemands. »

Alexander Werth et quelques autres journalistes vont parcourir ces villages qui appartiennent au cœur de la Russie, cette Moscovie dont Smolensk est le joyau.

Ils sont détruits. Quelques femmes, des enfants, des vieillards errent parmi les ruines.

Les Allemands ont incendié les maisons après les avoir pillées. Puis, menacés d'encerclement par une contre-attaque russe, ils se sont repliés.

Soldats allemands bombardant un village russe.

Dans la ville de Yelna, le seul bâtiment qui a échappé aux flammes est une église de pierre. Les civils ont été contraints de s'y rassembler et les Allemands s'apprêtaient sans doute à y mettre le feu, puis les Russes sont arrivés.

Mais les massacres de civils ne se comptent plus.

Durant cette visite au front de Smolensk, Alexander a pu interroger trois aviateurs allemands.

« Ils soutenaient que la guerre contre la Russie avait été rendue inévitable par la guerre contre l'Angleterre. Là-bas et ici, c'était la même guerre : quand la Russie aurait été abattue, l'Angleterre serait vite à genoux.

« Tous trois étaient arrogants et s'enorgueillissaient d'avoir bombardé Londres et avaient la certitude que Moscou tomberait avant l'hiver. »

19.

Moscou avant l'hiver ?

Les généraux de la Wehrmacht ont l'optimisme moins « arrogant » que celui des trois aviateurs de la Luftwaffe prisonniers des Russes.

Von Bock qui a réalisé une percée de 720 kilomètres se heurte après Smolensk à une résistance farouche des Russes. Von Leeb qui avance vers Leningrad constate lui aussi l'acharnement au combat des nouvelles unités russes. Le maréchal von Rundstedt, qui opère au sud, vers Kiev, rencontre les mêmes difficultés.

Gerd von Rundstedt.

Tous pensent cependant que le plan *Barbarossa* se réalise dans de bonnes conditions. Et les généraux qui commandent les Panzerdivisionen, ainsi Guderian, sont partisans de lancer leurs chars vers Moscou.

Ils croient toujours à l'efficacité de la *Blitzkrieg*.

Hitler les écoute, soliloque :

« J'ai résolu d'effacer Leningrad de la surface de la terre, dit-il. Lorsque la Russie sera terrassée, l'existence de cette ville ne présentera plus d'intérêt. Mon intention est de la faire raser jusqu'aux fondations par l'artillerie et par un bombardement aérien ininterrompu. »

Il veut qu'on repousse toute offre de reddition de Leningrad.

« Ce n'est pas et ce ne devrait pas être à nous de résoudre le problème de la survivance de sa population, à savoir son ravitaillement. Dans le combat où notre existence est en jeu, il est contraire à notre intérêt de ménager la population de cette ville, n'en serait-ce qu'une fraction. »

Tout à coup, Hitler s'interrompt, s'emporte, il accuse ses généraux et d'abord le haut commandement de la Wehrmacht, de ne pas envisager d'autres objectifs que Moscou, alors que le Reich doit s'emparer du grenier à blé qu'est l'Ukraine puis marcher vers le Caucase et ses ressources pétrolières.

Le 21 août, il interpelle violemment le général Halder et le maréchal von Brauchitsch.

Hitler martèle chaque mot, n'admettant aucune réplique, son choix est fait, répète-t-il.

« L'objectif principal à atteindre avant l'hiver est non pas la prise de Moscou mais au sud de nous emparer de la Crimée, du bassin minier du Donetz et des gisements pétrolifères du Caucase ; au nord d'investir Leningrad et d'opérer la jonction avec les armées finlandaises. Seulement alors seront réalisées les conditions qui nous permettront d'attaquer l'armée de Timochenko, devant Moscou, et de la vaincre. »

Il accuse ses généraux, ses maréchaux, exprimant son mépris par une mimique qui déforme le bas de son visage.

« Le haut commandement, dit-il, donne asile à "des cerveaux fossilisés" dans des théories archaïques. »

Halder envisage de démissionner, avec Brauchitsch, mais celui-ci s'y refuse. À quoi cela servirait-il ? Ils peuvent être utiles à la Wehrmacht et à l'Allemagne en restant à leur poste !

Une fois de plus, Halder s'incline.

« Le Führer, dit Halder, est obsédé par son désir de s'emparer à la fois de Leningrad et de Stalingrad car il se persuade que la chute de ces deux cités saintes du communisme entraînera celle de la Russie tout entière. »

Guderian, le 23 août, plaide encore pour une offensive immédiate sur Moscou.

« Hitler me laisse parler jusqu'au bout, raconte Guderian, puis le Führer me répond calmement, mais une moue de dédain cerne sa bouche. »

« Le Reich, dit Hitler, a besoin des matières premières industrielles et des produits agricoles de l'Ukraine. Il faut neutraliser la Crimée, ce véritable porte-avions soviétique susceptible de servir à l'attaque des puits de pétrole de Roumanie. »

Il s'interrompt, croise les bras et, campé devant Guderian, il déclare :

« Mes généraux ne connaissent rien à l'aspect économique de la guerre. Mes ordres sont d'ores et déjà donnés. L'attaque de Kiev reste l'objectif immédiat et toutes les opérations doivent être conduites à cette fin. »

« À chaque phrase du Führer, confie Guderian, les généraux présents – Keitel, Jodl et autres – opinent religieusement de la tête. Je demeure seul contre tous. »

L'offensive de von Rundstedt contre Kiev va donc commencer. Des renforts d'infanterie et de Panzers sont ramenés depuis le front central vers le sud.

Et il n'est plus question d'attaquer Moscou.

L'armée de von Bock et les Panzers de Guderian attendent la chute de Kiev.

Le lieutenant von Kageneck avance vers la capitale de l'Ukraine. On franchit le Dniepr par l'unique pont capable de supporter une division blindée. Puis on roule à travers d'immenses forêts. Et les pluies d'automne commencent à tomber dru, transformant le sol en boue.

« Une boue sans fond, tenace, collante, qui prend tout, qui tient tout, et ne lâche plus rien. »

Les Panzers ne réussissent à progresser que de cinq à huit kilomètres par jour au lieu de trente.

« Nous faisons tirer nos voitures, nos canons, nos cuisines roulantes par nos chars et par des tracteurs pris aux Russes, raconte Kageneck. Mettre un pied devant l'autre demande un effort surhumain. Et il faut cependant se battre, contre des soldats russes déterminés, qu'appuient de nouveaux chars aux larges chenilles qui leur permettent d'avancer dans la boue. Et ces T34 ont un blindage qui résiste à nos obus. »

Kiev tombe le 16 septembre 1941.

Des prisonniers russes.

« C'est la plus grande bataille de l'histoire mondiale »,
affirme Hitler.

Les Allemands auraient capturé 665 000 Russes.

Les prisonniers défilent en larges colonnes interminables,
couleur de boue.

C'est un troupeau d'hommes épuisés, gardés par quelques
Allemands et des Ukrainiens enrôlés comme supplétifs de la
Wehrmacht qui se souviennent des atrocités commises par les
bolcheviques.

Le 26 septembre, la bataille de Kiev est terminée, les
dernières troupes soviétiques encerclées se sont rendues au
terme d'âpres combats.

La pluie redouble.

La boue devient si épaisse que les voitures s'y enfoncent
jusqu'aux essieux et les hommes jusqu'aux genoux.

« La distance entre le premier char et le dernier camion de
ravitaillement est de quelque 300 kilomètres, témoigne
August von Kageneck. Impossible de faire parvenir des
munitions, le ravitaillement, le courrier à la troupe. La
guerre meurt doucement. Notre arme blindée, l'orgueil de la
Wehrmacht, le fer de lance de la grande attaque sur Moscou
– Kiev conquise, elle est l'objectif du Führer –, est brusque-
ment mise hors jeu. Quinze Panzerdivisionen sont condam-
nées à l'inaction complète. Nous faisons des prières pour
qu'enfin le gel arrive. »

Hitler ignore les difficultés que ses armées éprouvent.

Mais tous les généraux, plongés dans les combats, disent
comme von Rundstedt :

« Je m'aperçois que tout ce qu'on nous a raconté sur la
Russie n'est que bourrage de crâne ! »

Le général Halder ajoute : « Nous avions basé nos calculs
sur une force armée d'environ deux cents divisions. Au bout
de trois mois de combat, nous en avons déjà identifié trois
cents ! Aussitôt qu'une douzaine est exterminée, une autre
douzaine la remplace...

« Les Russes sont faits prisonniers par centaines de milliers mais l'armée Rouge résiste et, même encerclés, les Russes défendent leur position et se battent pied à pied. »

Ils disposent de ces chars, T34, monstres d'acier qu'aucun obus allemand ne peut percer.

Ils bénéficient de l'appui d'avions de chasse qui envahissent le ciel alors que la Luftwaffe est loin de ses bases et ne peut protéger tout le front.

Ils ont déjà pour allié le froid.

En ce mois d'octobre, il commence à mordre rageusement les corps des soldats qu'aucun équipement d'hiver ne vient protéger.

Mais Hitler ne s'en soucie pas. Le 2 octobre 1941, il adresse au peuple allemand une proclamation triomphante :

« Je déclare aujourd'hui et sans aucune réserve que notre ennemi de l'Est est abattu et ne se relèvera jamais…

« Derrière nos armées victorieuses s'étend déjà un territoire deux fois plus vaste que celui du Reich quand je pris le pouvoir en 1933. »

20.

À Vichy, autour de Pétain, les propos de Hitler rassurent.

Une victoire allemande rapide sur les « judéo-bolcheviques » pourrait contenir ce changement dans l'opinion
française que les services de police du gouvernement de
Vichy signalent depuis le mois de mars 1941.
Et l'invasion de la Russie par les troupes allemandes, le
22 juin, a fait basculer les communistes et ceux qu'ils
influencent dans une hostilité déterminée – « terroriste » –
à la politique de collaboration.
La police a déjà démantelé des groupes armés composés
de Juifs apatrides, d'étrangers – Italiens, Espagnols.

Certes le maréchal Pétain est toujours accueilli avec
ferveur par des foules imposantes, à Saint-Étienne, à
Grenoble, à Commentry.
Les anciens combattants sont au garde-à-vous, la poitrine
bardée de toutes leurs décorations. Ils saluent le vainqueur
de Verdun.
Les mères présentent leurs enfants au chef de l'État, un
véritable et digne grand-père.
Les élèves des écoles entonnent *Maréchal, nous voilà !*
L'évêque, les prêtres sont nombreux.
Le service d'ordre n'a que rarement l'occasion d'inter-
venir. Qui oserait s'en prendre au Maréchal ?

On craint la répression. On se sait surveillé. La police tient à jour ses fichiers : Juifs, communistes, socialistes, syndicalistes sont repérés.

Des camps d'internement sont ouverts pour y enfermer les étrangers, les apatrides, cette « racaille » responsable de la guerre, de la défaite.

Mais si les Français, prudemment, s'abstiennent de manifester leurs réserves, leur hostilité, ils ont faim et dans les queues qui s'allongent devant les boulangeries, les épiceries, les boucheries, dans les marchés, on murmure.

Les Allemands pillent. Les paysans vendent leurs denrées au marché noir. Les commerçants s'enrichissent. Les « gros » se sucrent en raflant tout pour les Boches, qui paient avec l'argent que la France doit leur verser !

Et pour les autres, les « petits », c'est 250 grammes de pain par jour, et 250 grammes de viande et 75 grammes de fromage par semaine ! Et 550 grammes de matières grasses par mois ! Et deux paquets de cigarettes et un litre de vin tous les dix jours !

On crève de faim ! C'est « ça », la révolution nationale ? *Travail*, *Famille*, *Patrie* ? C'est plutôt « Bibliothèque rose, terreur blanche et marché noir » !

Quand Pétain apprend qu'on caractérise ainsi son grand projet, il s'indigne :

« Ces gens-là sont des misérables ! Que leur ai-je donc fait ? »

Le Maréchal poursuit sa visite des villes de la zone libre. À Saint-Étienne, le 1ᵉʳ mars 1941, il s'adresse aux « ouvriers, techniciens, patrons, ingénieurs ».

Aux uns, il prêche la patience et la sagesse : « Ouvriers, mes amis, n'écoutez plus les démagogues, ils vous ont fait trop de mal. » Aux autres, il rappelle qu'ils sont aussi des chefs.

« Comprenez bien le sens et la grandeur du nom de chef. Le chef, c'est celui qui sait à la fois se faire obéir et se faire aimer. Ce n'est pas celui qu'on impose, mais celui qui s'impose ! »

Quinze jours plus tard, il annonce que « la retraite des vieux entre en action ».

« Je tiens les promesses, même celles des autres !

« Mais l'œuvre de mon gouvernement est attaquée, déformée, calomniée. »

Il faut donc avertir, sévir, choisir, plus que jamais, son camp, maintenant que la guerre contre la Russie bolchevique donne son sens à l'Ordre nouveau qui doit naître de la politique de collaboration avec l'Allemagne victorieuse.

La *Blitzkrieg* va « anéantir l'ennemi avant même l'arrivée de l'hiver et conduire à la prise de Moscou, et à sa destruction ». Le Führer l'a dit.

Et l'amiral Darlan, vice-président du Conseil, se pavane.

Il a fait le choix de la collaboration militaire avec le Reich.

À Paris, en zone occupée, on va plus loin.

Engagement de volontaires pour la LVF.

Laval, Déat, Doriot ont incité à la création d'une Légion des volontaires français contre le bolchevisme.

Portant l'uniforme allemand, mais arborant le drapeau français, ces volontaires participeront à la croisade de la Nouvelle Europe contre le bolchevisme.

Darlan montre à Pétain, sur une grande carte de la Russie, l'avance allemande.

Au nord vers Leningrad.

Au centre, à partir de Smolensk vers Moscou.

Au sud, vers Odessa et Sébastopol, et vers les grands fleuves, le Dniepr, le Donetz, vers la ville qui se dresse sur la rive de la Volga : Stalingrad.

Hitler a fixé la conquête de cette ville symbolique comme l'un de ses principaux objectifs.

Si Leningrad, Moscou et Stalingrad tombent, que restera-t-il de la Russie bolchevique ?

Et cependant Pétain est inquiet.

Le 12 août 1941, au Grand Casino de Vichy, on donne devant toutes les personnalités, ministres et conseillers, ambassadeurs et consuls, une représentation exceptionnelle de *Boris Godounov*.

Pendant le dernier entracte, on diffuse un *Message* du maréchal Pétain, dont la teneur et le ton autoritaire surprennent et inquiètent l'assistance.

Ils ont le sentiment qu'une nouvelle période du gouvernement de Vichy commence, moins de deux mois après l'entrée des troupes allemandes en URSS.

C'est le communisme que Hitler combat. C'est donc bien le sort de l'Europe et de l'Occident qui est en question.

Pétain parle.

« Français,

« J'ai des choses graves à vous dire.

« De plusieurs régions de France, je sens se lever depuis quelques semaines un vent mauvais.

« L'inquiétude gagne les esprits, le doute s'empare des âmes. L'autorité de mon gouvernement est discutée ; les ordres sont souvent mal exécutés. »

Pétain parle en chef militaire s'adressant à des subordonnés. Et cela satisfait et en même temps trouble ces notables qui, figés dans cette salle du Grand Casino, ne s'attendaient pas à un tableau aussi sombre de la situation.

Pétain évoque aussi bien les politiciens que les francs-maçons, que ceux qui ont subordonné les intérêts de la patrie à ceux de l'étranger.

« Un long délai sera nécessaire pour vaincre la résistance de tous ces adversaires de l'Ordre nouveau, mais il nous faut dès à présent briser leurs entreprises en décimant les chefs. »

Décimer ? C'est bien le langage d'un chef militaire qui doit mater les mutins en les faisant fusiller.

« Si la France ne comprenait pas qu'elle est condamnée par la force des choses à changer de régime, elle verrait s'ouvrir devant elle l'abîme où l'Espagne de 1936 a failli disparaître et dont elle ne s'est sauvée que par la foi, la jeunesse et le sacrifice. »

Pétain dresse le spectre de la guerre civile et fait l'apologie de la dictature franquiste.

Le Maréchal énumère des mesures dictatoriales qui renforcent les pouvoirs de la police, les sanctions disciplinaires contre les fonctionnaires suspects : il annonce qu'il va « juger » les responsables de notre désastre…

« Les ministres et les hauts fonctionnaires devront me prêter serment de fidélité… La même obligation est imposée aux militaires et aux magistrats. »

Dans la salle du Grand Casino, on est stupéfait. On s'inquiète de la création d'un Conseil de justice politique.

Mais un seul magistrat refusera de prêter serment : il sera révoqué et interné. Un seul conseiller d'État aura la même attitude.

L'ambassadeur des États-Unis, l'amiral Leahy, présent dans la salle, confie dans un chuchotement que Hitler aurait pu écrire le discours du Maréchal.

« Ce discours, ajoute-t-il, a tout à fait le ton d'un service funèbre pour la IIIᵉ République. »

Les hommes politiques de la IIIᵉ République doivent « payer ».

Le 15 octobre 1941, Pétain explique aux Français que « le *Conseil de justice politique* composé d'anciens combattants et des meilleurs serviteurs du bien public a estimé à l'unanimité que la détention dans une enceinte fortifiée devait être appliquée à MM. Edouard Daladier et Léon Blum ainsi qu'au général Gamelin.

« J'ordonne en conséquence la détention de ces trois personnes au fort du Pourtalet... ».

Pétain vient de tomber le masque.

Le Conseil de justice politique n'est que l'instrument du pouvoir politique et sa création révèle la nature du régime de Vichy.

Et, tout à coup, Pétain découvre l'image que donne l'État français, son État, dans ce miroir judiciaire.

Des juristes s'inquiètent auprès de lui. Et sans souci de cohérence, Pétain, en quelques phrases hypocrites, tente d'effacer l'image qu'il vient de donner.

Il précise :

« Le Conseil de justice politique m'a demandé de préserver le pouvoir judiciaire des empiètements du pouvoir politique. Ce respect de la séparation des pouvoirs fait partie déjà du droit coutumier. C'est donc très volontiers que j'ai répondu à cet appel qui correspond à mes sentiments intimes.

« En conséquence, la cour de Riom reste saisie... Les débats vont s'ouvrir. »

On se moque de ce Maréchal qui le matin se conduit en dictateur, et le soir donne acte à ses juges que les trois

hommes qu'il vient de condamner ont encore à être jugés...
Et donc que les condamnations prononcées contre Daladier,
Blum et Gamelin sont nulles et non avenues.

Ainsi, le président de la cour de Riom s'adresse aux
accusés et déclare : « Messieurs, les décisions qui ont été
jusqu'ici prises à l'égard de certains d'entre vous et les
motifs qui ont été publiés de ces décisions sont pour la cour
comme s'ils n'existaient pas... »

Vichy ? Dictature ou État de droit ?
À Paris, Déat, Doriot, Laval ricanent de ces palinodies,
fustigeant cet attachement des juges à leur pouvoir.
Ils s'indignent d'apprendre que Daladier et Blum jouissent
devant la cour de Riom d'une totale liberté de parole et
deviennent accusateurs.
Pétain n'avait-il pas été ministre de la Défense nationale,
membre influent du Conseil supérieur de la guerre, donc,
comme notable de la IIIᵉ République et maréchal de France
n'était-il pas responsable de la défaite... Ne faudrait-il pas le
juger lui aussi, lui d'abord ?

Mais ce procès de Riom ne peut continuer longtemps à
n'être qu'une farce hypocrite.
Il y a la guerre, le pays occupé, affamé, des centaines de
milliers de Français prisonniers en Allemagne, et des jeunes
gens raflés chaque jour pour aller travailler dans les usines
du Reich.
Et d'autres, emprisonnés, torturés, fusillés.
Le sang de la guerre, cette tache rouge qui s'élargit jour
après jour, va recouvrir complètement Vichy.
Et la farce se révéler tragédie.

21.

« Je sens se lever depuis quelques semaines un vent mauvais », avait dit Pétain.

Il souffle en bourrasque.

Dans les départements du Nord et du Pas-de-Calais, dépendant de l'administration allemande de Bruxelles – et promis au rattachement à la Belgique, une fois la victoire nazie acquise –, les mineurs des puits de la région de Béthune déclenchent, le 27 mai 1941, une grève qui s'étend à tout le bassin minier.

« Ceux qui travaillent ont le droit de manger », lit-on sur les tracts imprimés clandestinement, malgré les arrestations opérées par les Allemands et les menaces d'exécution contre les « meneurs ».

« Nous ne voulons pas crever de faim. Nous voulons du pain pour nos femmes, nos enfants et les vieux », écrivent les mineurs.

Le 14 juin 1941, le général lieutenant Niehoff fait placarder un *Avis* menaçant.

« Gare à tout refus de travail…

« On ne discute jamais avec des grévistes et des agitateurs. »

Mais après les menaces, les autorités allemandes – pour qui la production de charbon est vitale – font quelques concessions.

« Des mesures seront prises pour que vous soyez raisonnablement représentés auprès des administrations minières et des autorités occupantes.

« La situation exige de vous une seule chose : être raisonnables.

« Que chacun s'applique à son travail et qu'il le fasse de son mieux et avec bonne volonté. C'est ainsi que vous servirez les intérêts de votre pays en bons Français.

« Si en agissant de la sorte vous préservez la paix sociale, les autorités occupantes prendront soin de vos intérêts. »

Mais derrière le paravent des mots et des concessions, la répression s'abat.

Les arrestations se comptent par centaines. On comptera 244 déportés, 9 fusillés. Des femmes de mineurs sont arrêtées comme otages, quand leurs maris n'ont pu être interpellés.

Le mouvement cesse en juin, mais c'est la manifestation la plus massive et la plus spectaculaire de la résistance face à l'occupant, même si son premier mobile est la misère et la faim.

« Que l'occupant se le tienne pour dit, écrivent les jeunes communistes dans leur journal clandestin, *L'Avant-garde*.

« Notre jeunesse n'admettra jamais l'oppression nationale et sur la question de l'indépendance de notre pays il n'y a qu'un même et unique sentiment dans les rangs juvéniles, c'est d'être débarrassé au plus vite de la domination étrangère. »

À peine le sang a-t-il fini de couler dans le nord de la France, teintant de rouge le noir charbon, qu'il éclabousse les murs d'une chambre de Montélimar – en zone non occupée.

Là, vit en résidence surveillée l'ancien ministre de l'Intérieur du Front populaire Marx Dormoy. Une bombe explose dans sa chambre, le 26 juillet 1941.

Marx Dormoy paie ainsi de sa vie la lutte qu'il a menée en 1936 contre les ligues d'extrême droite.

Les auteurs de l'attentat sont quatre membres du Parti populaire français de Jacques Doriot qui veulent être les « héros de la révolution nationale ».

Arrêtés, emprisonnés par la police de Vichy, les Allemands les libéreront de force de la prison de Largentières.

C'est bien « le vent mauvais » de la guerre civile qui souffle.

Le 27 août 1941, dans la caserne Borgnis-Desbordes, à Versailles, une prise d'armes a lieu en présence de Pierre Laval et de Marcel Déat.

On remet avec les honneurs militaires le drapeau tricolore au premier contingent des *Volontaires français contre le bolchevisme.*

Personnalités françaises et allemandes sont au coude à coude pour célébrer l'événement : l'ambassadeur de Vichy... à Paris, Brinon, côtoie les diplomates et les officiers allemands.

Marcel Déat et Pierre Laval quelques instants avant l'attentat.

Tout à coup, des détonations : un homme jeune, que la foule tente aussitôt de lyncher, a tiré sur Laval et Déat, qui sont tous deux blessés.

Le « terroriste » – Collette – a-t-il agi seul, ou bien est-il la main armée de factions – la Cagoule – hostiles à Laval ?

À Londres, on le célèbre :

« Tu as fait comme tant d'autres l'acte héroïque, dit le journaliste de *La France Libre*, l'acte qui serait parfaitement inutile s'il n'était un exemple et un symbole de ton pays. »

Condamné à mort, Collette est, à la demande de Pierre Laval, gracié.

Mais il n'est plus au pouvoir de personne d'arrêter le sang de couler.

Les plus déterminés de chaque camp veulent aller jusqu'au bout de la guerre : tuer l'autre.

La France est à leurs yeux un champ de bataille.

22.

Tuer l'autre ! Abattre l'Allemand !

C'est à partir de l'été 1941 le mot d'ordre que donne le Parti communiste aux membres de son *Organisation spéciale* (OS) chargés de commettre des attentats, des actes de sabotage.

« On nous a demandé à plusieurs reprises, confie l'un d'eux, d'essayer de tuer des officiers allemands. Et j'ai plusieurs soirs suivi des officiers allemands avec un camarade, et chaque fois je me suis dégonflé à la dernière minute. Je me souviens notamment d'un que j'ai suivi du côté du boulevard Sébastopol. Un immense bonhomme avec une toute petite putain qui était si heureux de vivre qu'en définitive je n'avais pas osé tirer dessus ! Et j'étais quand même assez humilié de n'avoir pas réussi à faire mon premier Boche ! »

D'autres ont tué leur premier officier allemand dès la première quinzaine d'août. L'Allemand sortait d'un hôtel de passe, près de la porte d'Orléans, en rebouclant son ceinturon. Ils l'ont tué à coups de matraque et au couteau. Sur le cadavre, ils ont épinglé un papillon :

« Pour un patriote fusillé, dix officiers nazis paieront. »

Car les Allemands multiplient les *Avis*, annonçant les exécutions d'espions, de terroristes ou d'otages.

BEKANNTMACHUNG – AVIS

1) Le lieutenant de vaisseau Henri Louis Honoré, comte d'Estienne d'Orves, Français, né le 5 juin 1901 à Verrières,

2) L'agent commercial Maurice Charles Émile Barlier, Français, né le 9 septembre 1905 à Saint-Dié,

3) Le commerçant Jan Louis Guilleaume Doornick, Hollandais, né le 26 juin 1905 à Paris,

ont été condamnés à mort à cause d'espionnage. Ils ont été fusillés aujourd'hui.

Paris, le 29 août 1941

Der Militärbefehlshaber in Frankreich

Les exécutions d'otages désignés après un attentat ou un sabotage révoltent ceux qui lisent ces affiches jaunes ou rouges, signées von Stülpnagel, et qui donnent les noms des fusillés.

Fallait-il continuer à tuer des Allemands quand, en représailles, von Stülpnagel – le « plus charmant de nos vainqueurs », disait une « dame du monde » – faisait exécuter cinquante otages ?

L'un des premiers résistants, Rémy, répond :

« Le Français pensera que, de gré ou de force, il est dans le coup... Le sang du patriote répandu dans les fossés d'exécution fertilisera de nouveaux dévouements après ce long engourdissement prolongé de la morphine vichyste... Il me suffit de suivre les fusillades à la trace pour recruter de nouveaux engagements. Les fusillades réveillent les Français. »

Alors il faut tuer l'autre.

Le jeune communiste Pierre Georges, qui choisit le pseudonyme de Fabien, membre des groupes de choc de l'Organisation spéciale, a, à vingt ans, une expérience de la guerre et de la violence. À dix-sept ans, il a combattu dans les Brigades internationales en Espagne. Il a été blessé de sept balles et a survécu miraculeusement.

Puis, la République espagnole vaincue par Franco, Fabien rentre en France. Il est petit, mince, mais avec « une flamme extraordinaire dans les yeux ».

Il approuve en août 1939 la signature du pacte de non-agression entre Hitler et Staline. Les communistes sont dès lors hostiles à la guerre déclarée en septembre 1939.

Ils deviennent suspects.

Leurs députés et les militants sont ainsi, pendant la drôle de guerre, poursuivis. Ils appellent à la paix, dénoncent la « guerre impérialiste ». Ils semblent avoir oublié leur « antifascisme ».

« Fabien m'a raconté, confie l'un de ses camarades, comment il a dû étrangler un garde mobile en ayant les menottes aux mains. Cela se passait dans un train, après la déclaration de guerre à l'Allemagne, et alors que les communistes arrêtés changeaient souvent de prison. »

Fabien n'est donc pas homme à hésiter à tuer un officier allemand.

D'autant plus que, le 13 août 1941, il a organisé et dirigé une manifestation dans le quartier de la République à Paris. Le jeune communiste Pierre Daix est le porte-drapeau.

La police fait appel aux Allemands dont les side-cars surgissent : les soldats ouvrent le feu, arrêtent des manifestants. Deux d'entre eux, Tyszelman Szmul et Henri Gautherot, sont condamnés à mort et exécutés le 19 août dans les bois de Verrières, près du Plessis-Robinson.

Il faut les venger.

Fabien dit, le 20 août 1941 :
« Demain, à 8 heures, au métro Barbès, j'en descends un. »

Ils sont sur le quai, ce 21 août, Fabien et trois de ses camarades, chargés d'assurer la protection du tireur et de faire le guet.

« Tout à coup, voilà qu'un grand diable d'officier de la Kriegsmarine débouche du couloir et s'apprête à monter dans la prochaine rame.

"Celui-là va payer, me dit Fabien. Alors, tu y es ! Tu fais gaffe, je tire." »

Fabien tire deux coups de revolver au moment où l'officier monte en première.

« L'officier est tombé dans le wagon, les jambes pendantes sur le quai. »

L'aspirant de la Kriesgmarine Moser est mort.

Fabien court dans l'escalier en criant : « Arrêtez-le ! »

Sur les murs de Paris, on peut encore lire les affiches de la Kommandantur annonçant l'exécution :
1) du Juif Tyszelman Szmul de Paris
2) du nommé Gautherot Henri de Paris.

Condamnés à mort pour aide à l'ennemi, ayant pris part à une manifestation communiste dirigée contre les troupes d'occupation allemande.

On tue. C'est la logique de la guerre qui désormais emporte inéluctablement la France.

23.

En ce printemps et cet été 1941, en France, en zone occupée comme en zone libre, à Paris comme à Vichy, les masques tombent.

« Le sang appelle le sang », dit le major Boemelburg, l'officier de liaison de la Wehrmacht auprès de la Délégation générale du gouvernement de Vichy en zone occupée.

Il exige la condamnation à mort des communistes et autres « terroristes » que détiennent les prisons « françaises ».

Qu'on crée une juridiction particulière, une *Section spéciale*.

Ce tribunal recevra l'« *ordre* » de prononcer la peine de mort contre les accusés. Les lois répressives promulguées seront rétroactives.

« Le sang appelle le sang. »

Les exigences allemandes sont précises : « Six condamnations capitales au moins devront être prononcées et exécutées au plus tard le 28 août 1941, date des obsèques de l'aspirant de la Kriegsmarine Moser. »

Pucheu, ministre de l'Intérieur, obéit, rejette les recours en grâce que formulent auprès du chef de l'État les trois premiers condamnés à avoir la tête tranchée.

Et le couperet tombe.

Pétain, qui devrait seul avoir le droit de grâce, s'écrie :

« C'est scandaleux ! On me met devant le fait accompli. Je proteste. »

Mais les têtes ont déjà roulé dans le panier ! Et trois autres suivront.

« Le sang appelle le sang. »

À Lille, le 23 août, deux officiers allemands sont tués par des membres de l'Organisation spéciale.

Le lendemain, à Marquette, toujours dans le Nord, ce sont deux soldats de la Wehrmacht qui sont abattus.

Une liste d'otages est aussitôt dressée : cinquante noms y figurent, et ce chiffre sera doublé quelques jours plus tard.

Une ordonnance du commandement de la Wehrmacht en France décrète que tous les Français mis en état d'arrestation seront désormais considérés comme otages et « qu'en cas d'un nouvel acte terroriste, un nombre d'otages correspondant à la gravité de l'acte criminel commis sera fusillé ».

Des primes sont promises à tous ceux qui fourniront des renseignements sur les « terroristes ». Et les délateurs pourront obtenir la libération de leurs proches retenus prisonniers en Allemagne.

Rien n'y fait ; « le sang appelle le sang ».

Presque chaque jour, des militaires allemands sont attaqués.

Des membres de l'OS communiste les traquent dans le hall des hôtels. Ils abattent aussi un ancien député communiste – Gitton – accusé de trahison.

Des officiers tombent à Paris, rue Lafayette, boulevard Magenta. Les tueurs sont souvent à bicyclette et des groupes de protection favorisent leur fuite.

Les affiches rouges annoncent les exécutions de dix, puis de douze otages. Le mois de septembre 1941 est ainsi l'un des plus sanglants.

La terreur s'installe.

L'heure du couvre-feu est avancée. Paris est, dès 21 heures, une ville déserte, plongée dans l'obscurité.

Les rafles de Juifs « apatrides étrangers » se multiplient. Six des sept synagogues de Paris sont dynamitées dans la nuit du 2 au 3 octobre.

Les attentats touchent désormais les grandes villes de la zone occupée.

Ce mois d'octobre 1941 s'annonce ainsi dès ses premiers jours comme l'un des plus meurtriers.

Les communistes de l'OS ont décidé de frapper à Rouen, à Bordeaux, à Nantes.

Le lundi 20 octobre, le lieutenant-colonel Holtz est abattu, place de la Cathédrale à Nantes. « Il s'effondre, dit l'auteur des coups de feu – Brustlein – en hurlant comme un cochon qu'on égorge. »

La réaction de Stülpnagel est immédiate : dans la journée, un officier allemand se rend au camp d'internement de Châteaubriant consulter la liste des détenus.

Dès le 21 octobre, une affiche annonce que « le Feldkommandant de Nantes ayant été tué par de lâches criminels à la solde de l'Angleterre et de Moscou », ordre a été donné « en expiation de ce crime » de faire fusiller cinquante otages, cinquante autres suivront si les coupables ne sont pas arrêtés avant le 23 octobre à minuit.

Une récompense de 15 millions de francs est offerte à tous ceux qui permettront ces arrestations.

Alors que se prépare l'exécution des cinquante premiers otages, le conseiller d'administration militaire Reimers est abattu, le 21 octobre, place Pey-Berland à Bordeaux.

Un groupe de républicains espagnols a protégé le tireur.

« Le sang appelle le sang. »

Une liste de cent otages est présentée par les Allemands au ministre de l'Intérieur Pucheu.

Pierre Pucheu.

Il argumente, réussit à faire réduire la liste à cinquante noms.

Puis il constate que, parmi ces derniers, il y a quarante anciens combattants de 1914.

« Non, pas ceux-là », dit Pucheu.

Les Allemands lui soumettent une liste qui ne contient plus, à six exceptions près, que des communistes. Parmi eux, le fils d'un député, Guy Môquet, âgé de dix-sept ans, des syndicalistes (Jean-Pierre Timbaud), deux instituteurs dont la libération était prévue le jour même.

Pucheu ne commente pas cette liste.

Quarante-huit otages sont exécutés le 22 octobre dont vingt-sept à Châteaubriant.

Le lieutenant de gendarmerie Touyr a rassemblé dans une baraque du camp de Châteaubriant les otages. Il serre la main de l'officier allemand qui les prend en charge. On leur remet une feuille de papier, un crayon et une enveloppe.

Dans les camions, ils chantent *La Marseillaise*, et les quatre cents prisonniers du camp l'entonnent à leur tour.

En traversant la ville de Châteaubriant, les otages continuent de chanter.

Dans les rues, les gens se découvrent.

Les otages seront fusillés dans une carrière, en trois salves successives, à 15 h 55, 16 heures et 16 h 10.

Ils chantent encore *La Marseillaise*.

Tous ont refusé de se laisser bander les yeux et lier les mains.

Ce soir-là, Pucheu tente de justifier son attitude.

« J'ai fait ce qu'aurait fait à ma place tout ministre de l'Intérieur ayant le sens de ses responsabilités, dit-il. Je ne pouvais, je ne devais pas laisser fusiller quarante bons Français. »

L'un des ministres de Vichy, Romier, s'indigne :
« Mais comment avez-vous pu désigner vous-même les otages ?

– Je ne les ai pas désignés. J'ai laissé seulement les Allemands substituer une seconde liste à une première.

– Vous n'aviez pas le droit, mon pauvre ami. Anciens combattants ou communistes, c'étaient de bons Français. Vous n'aviez pas à faire un choix, à prendre parti. Il fallait laisser aux Allemands la responsabilité de ce massacre. Vous la partagez maintenant avec eux. Comment n'avez-vous pas senti cela ? »

Pucheu ne peut comprendre. Dans l'Ordre nouveau qui se met en place – et il veut en être l'un des bâtisseurs –, ce n'est pas la nationalité qui compte, mais l'appartenance à une race, à une idéologie.

Un communiste, un Juif ne peuvent être de « bons Français », quels que soient leurs mérites.

Le lendemain 23 octobre, un officier supérieur allemand ayant été abattu, cinquante otages extraits du camp de Souges seront passés par les armes.

Les Allemands auront ainsi exécuté quatre-vingt-dix-huit Français en moins de quarante-huit heures.

Pétain s'adresse, la voix hésitante, aux Français, le soir-même.

Pas un mot pour dénoncer l'arithmétique allemande : un officier vaut cinquante Français.

« Par l'armistice, dit Pétain, nous avons déposé les armes. Nous n'avons pas le droit de les reprendre pour frapper les Allemands dans le dos… Aidez la justice, je vous jette ce cri d'une voix brisée : ne laissez plus faire de mal à la France ! »

Le lendemain, à l'un de ses proches, Pétain apparaît effondré, les yeux embués de larmes, la voix éteinte, vieilli de cinq ans.

« Il faut arrêter cette tuerie, dit-il.

– Que pouvez-vous faire ?

– J'y ai beaucoup réfléchi. Je n'ai pas fermé l'œil de la nuit. Il faut que j'aille à Paris me constituer prisonnier.

– Vous, monsieur le Maréchal ?

– Oui, moi, je veux être désormais le seul otage. »

Pétain ne quittera pas Vichy.

Ces jours-là d'octobre 1941, décisifs pour la situation en France, des millions de Français ont l'oreille collée à leur poste de TSF et écoutent Radio-Londres.

Le 23 octobre 1941, la voix de De Gaulle, vibrante, s'élève :

« Nous savions bien que l'Allemand est l'Allemand. Nous ne doutions pas de sa haine ni de sa férocité, dit-il. Parce que deux des bourreaux de la France ont été abattus à Nantes et à Bordeaux au beau milieu de leurs canons, de leurs chars et de leurs mitrailleuses par quelques courageux garçons, l'ennemi prend au hasard, à Paris, à Lille, à Strasbourg, 100, 200, 300 Français, et les massacre.

« Nous avons entendu hier la voix tremblante du vieillard que ces gens ont pris comme enseigne qualifier de "crime sans nom" l'exécution de deux des envahisseurs.

« Il est absolument normal et il est absolument justifié que les Allemands soient tués par les Français.

« Si les Allemands ne voulaient pas recevoir la mort, ils n'avaient qu'à rester chez eux et ne pas nous faire la guerre. Tôt ou tard d'ailleurs ils sont tous destinés à être abattus soit par nous, soit par nos alliés. »

De Gaulle sait qu'il ne peut pas en rester là. Le peuple français attend un « mot d'ordre ».

« Ce mot d'ordre, je vais le lui donner…

« Il y a une tactique à la guerre. La guerre des Français doit être conduite par ceux qui en ont la charge, c'est-à-dire par moi-même et le Comité national… La consigne que je donne pour le territoire occupé, c'est de *ne pas y tuer ouvertement d'Allemand*. Cela pour une seule mais très bonne raison, c'est qu'il est en ce moment trop facile à l'ennemi de riposter par le massacre de nos combattants momentanément désarmés... »

De Gaulle prêche « la patience, la préparation, la résolution ». Mais comment pourrait-il imposer cette tactique à des mouvements de résistance qui ne sont pas coordonnés, qui n'ont pas reconnu l'autorité du chef de la France Libre ?

Et d'autant plus que ces attentats contre les militaires allemands sont le fait des communistes qui ont leur propre stratégie, à la finalité politique évidente : devenir la plus grande force de la Résistance.

Ils ont créé le Front national, destiné à accueillir tous les mouvements de résistance afin de les influencer, de les contrôler.

De Gaulle est conscient de ce risque. Il veut que tous les mouvements de résistance se rassemblent autour de la France Libre.

Et pour cela, reprend-il :

« Il faut arracher toute autorité aux collaborateurs de l'ennemi... tout ce qui est de Vichy n'a droit qu'au mépris public, à commencer, bien entendu, par le principal responsable du désastre militaire, de l'armistice déshonorant et du malheur de la France : le Père-la-défaite de Vichy.

« La France avec nous ! » lance de Gaulle en conclusion.

Elle est auprès des fusillés de Châteaubriant.

Des milliers de personnes se rendent en pèlerinage aux Carrières où en trois salves les Allemands ont abattu des Français qui « chantaient *La Marseillaise* en s'abattant ».

De Gaulle intervient à nouveau sur Radio-Londres.

« En fusillant nos martyrs, l'ennemi a cru qu'il allait faire peur à la France ! La France va lui montrer qu'elle n'a pas peur de lui ! dit-il.

« Vendredi prochain, 31 octobre, de 4 heures à 4 h 05 du soir, toute espèce d'activité devra cesser sur tout le territoire national… Tous les Français, toutes les Françaises demeure-ront immobiles, chacun là où il se trouvera… Cette immense grève nationale fera voir à l'ennemi et aux traîtres qui le servent quelle gigantesque menace les enveloppe…

« Notre peuple manifestera par cet unanime garde-à-vous la magnifique fraternité française, bâtie sur nos malheurs, cimentée par notre sang, resplendissante de nos espérances. »

Le vendredi 31 octobre, à 4 heures, des millions de Français se figent durant cinq minutes.

Et, dans la nuit qui tombe déjà, les soldats allemands créent des incidents à Nancy, au Havre, dans de nombreuses autres villes. Ils hurlent, bousculent, brutalisent, arrêtent, mais la violence appelle la violence, le sang appelle le sang.

24.

Ce sang, ces morts, ces suppliciés hantent de Gaulle.

A-t-il eu raison de prêcher « la patience, la préparation, la résolution » afin d'éviter la mort des otages ?
Il n'est plus satisfait du choix qu'il a fait.

Le gouvernement de Vichy prend chaque jour des mesures criminelles qui livrent des milliers d'hommes, de femmes, d'enfants même aux nazis.
Vichy renie toute l'histoire généreuse de la France, et il se renie lui-même, ne respectant pas les engagements qu'il avait pris quand il promulguait, le 3 octobre 1940, le statut des Juifs, affirmant qu'il respecterait « les personnes et les biens des Juifs ».

Mais Vichy choisit de s'enfoncer dans l'imitation de l'Allemagne nazie.
De Gaulle sait par les témoignages de Français qui ont réussi à rejoindre Londres que le nouveau statut des Juifs du 2 juin 1941 prévoit l'aryanisation des entreprises, c'est-à-dire en fait la spoliation des Juifs, la confiscation de leurs biens sans indemnisation.
Un *numerus clausus* leur interdit d'être plus de 2 % des avocats, des médecins et de 3 % des étudiants !
Ceux qui sont qualifiés d'apatrides sont livrés aux Allemands, et l'on regroupe dans des camps de concentration

les Juifs étrangers entrés en France depuis le 1er janvier 1936.

En même temps, le régime de Vichy se dote de forces de répression.

Il s'agit de constituer un *Service d'Ordre Légionnaire* (SOL), capable de s'opposer à ceux des Français qui choisissent la Résistance. Il faut les terroriser, jouer le rôle des SS du régime. Et c'est Pucheu, l'homme qui a accepté la liste des Français que les Allemands pouvaient fusiller, qui est à l'origine du SOL. Il a choisi pour le commander Joseph Darnand, un héros de 14-18 et de 39-40, l'un de ces « patriotes dévoyés » qui veulent imiter l'Italie de Mussolini et l'Allemagne de Hitler et en finir avec le « système français ».

Darnand puise pour constituer le SOL dans la Légion française des combattants.

« J'ai choisi, dit-il, ou plutôt j'ai invité ceux qui étaient de véritables révolutionnaires, ceux qui pensaient sur le plan social qu'une véritable révolution devait se faire, qu'il fallait qu'on change complètement de régime, j'ai invité tous ces hommes à se réunir. C'est ainsi qu'on a fait le SOL. On a dit dix mille hommes. En réalité, ce sont des milliers d'hommes. »

Les adhérents du SOL doivent, genou à terre, prêter serment à Joseph Darnand :

« Je jure de lutter contre la démocratie, contre la dissidence gaulliste et contre la lèpre juive. »

De l'antisémitisme d'État, de la livraison aux Allemands de proscrits qui avaient trouvé refuge en zone non occupée, de la constitution du SOL, dont le serment est sans équivoque, du rôle de Pucheu, aux centaines de martyrs fusillés par les Allemands, tout se tient.

De Gaulle médite, s'emporte contre lui-même.

Il a eu tort de se contenter de « prêcher la patience, la préparation, la résolution ».

Il le dit à Maurice Schumann, l'une des voix les plus écoutées, les plus flamboyantes de Radio-Londres.

Schumann vient de déplorer les attentats parce qu'ils entraînent des « représailles inutiles ».

« Pas du tout, s'écrie de Gaulle. C'est terrible, mais ce fossé de sang est nécessaire. C'est dans ce fossé de sang que se noie la collaboration. Ces morts ont rendu un service immense à la France. Le monde entier sait que c'est le mécanisme de l'occupation qui joue en France et non celui de la collaboration. »

Ce doit donc être la guerre ouverte, impitoyable entre Vichy qui a choisi l'Allemand, l'Ordre nouveau nazi, et la France Libre. De Gaulle a sur sa table, en ce mois d'octobre 1941, un rapport qu'un ancien préfet, Jean Moulin, lui a fait parvenir.

Jean Moulin est un homme courageux.

Le 17 juin 1940, il s'est tranché la gorge à Chartres plutôt que de signer un document rédigé par les Allemands. Ceux-ci affirmaient que des troupes noires françaises avaient exécuté des civils.

Molesté, battu, emprisonné, Moulin a craint de ne pas pouvoir résister à la torture. Il a préféré le suicide.

On l'a arraché à la mort.

Révoqué, il a mené son enquête en France sur l'état des forces de la Résistance puis il a réussi – par Lisbonne – à gagner Londres.

Ce 25 octobre 1941, à la fin de la matinée, il entre dans le bureau de De Gaulle, à Carlton Gardens.

Moulin est petit, mince, brun, le visage assez large, énergique, les yeux vifs presque rieurs. Sa voix est claire, les phrases sont brèves et précises.

De Gaulle écoute.

Moulin commente son rapport.

Il analyse la situation des trois principaux mouvements de résistance.

Il a voulu, dit-il, avant de rejoindre Londres, évaluer la force de *Libération*, de *Franc-Tireur* et de *Combat*.

Il a vu leurs chefs : Emmanuel d'Astier de La Vigerie, Pierre-Jean Lévy et le capitaine Henri Frenay. Ces hommes se sont réunis à Marseille, en septembre 1941, pour unir leur action.

« Il faut fédérer toutes les forces, dit Moulin. Il s'agit de constituer en France un "réseau de commandement" qui créera un véritable parti de la Libération. »

Jean Moulin.

Rarement de Gaulle s'est senti aussi proche d'un homme, un patriote, un républicain, un homme d'expérience, un haut fonctionnaire.

Et Moulin n'élude aucune question.

« Une masse ardente de Français restés sous la botte ronge son frein et n'attend qu'une occasion pour secouer le joug, dit-il. Si aucune organisation ne lui impose une discipline, on jettera dans les bras des communistes des milliers de Français qui brûlent du désir de servir, et cela d'autant plus facilement que les Allemands eux-mêmes se font les agents recruteurs du communisme. Tout acte de résistance est qualifié d'action communiste. »

De Gaulle a confiance dans cet homme qui ose tout dire :

« Il faut que dans six mois l'organisation gaulliste en France dépasse en ampleur celle des communistes ; ce qui entraînera dans ce mouvement de lutte contre l'Allemagne les communistes eux-mêmes. Et le général de Gaulle symbolisera l'unité de la France réelle. »

De Gaulle partage l'analyse de Moulin.

Dans le mouvement incessant du monde, toutes les doctrines, toutes les écoles, toutes les révoltes n'ont qu'un temps... « Tout passera. Le communisme passera. Mais la France ne passera pas. »

De Gaulle écrit :

« Je désigne Jean Moulin comme mon représentant et comme délégué du Comité national français pour la zone non directement occupée. M. Moulin a pour mission de réaliser dans cette zone l'unité d'action de tous les mouvements qui résistent à l'ennemi et à ses collaborateurs. »

Moulin sera donc bientôt parachuté en France, en zone libre.

De Gaulle sait que Moulin a envisagé tous les aspects de sa mission, y compris la torture et la mort.

Comment ne pas penser au sort de d'Estienne d'Orves, le premier fusillé de la France Libre ?

Mais le plus humble des résistants a accepté le sacrifice de sa vie.

De Gaulle veut que Moulin transmette à ces hommes héroïques une lettre manuscrite.

Il écrit sans que sa main hésite :

« Mes chers amis,

« Je sais ce que vous faites. Je sais ce que vous valez. Je connais votre grand courage et vos immenses difficultés. En dépit de tout, il faut poursuivre et vous étendre. Nous qui avons la chance de pouvoir encore combattre par les armes, nous avons besoin de vous pour le présent et pour l'avenir.

« Soyons fiers et confiants ! La France gagnera la guerre et elle nous enterrera tous.

« De tout mon cœur. »

De Gaulle pense à ces résistants risquant leur vie dans l'ombre lorsque le samedi 15 novembre 1941 il entre dans l'immense rotonde « ce vaste vaisseau de l'Albert Hall » de Londres.

Les projecteurs l'éclairent. Il lève les bras. La foule des Français rassemblés au cœur de la capitale britannique emplit les gradins de cette immense salle de concert.

L'assistance crie, chante spontanément *La Marseillaise*.

Au premier rang, les membres du Conseil national français. Et derrière eux, un drapeau tricolore marqué de la croix de Lorraine avec sa garde de soldats.

De Gaulle est porté par l'enthousiasme et la ferveur.

« Ce que nous sommes, commence-t-il.

« Nous sommes des Français de toutes origines, de toutes conditions, de toutes opinions qui avons décidé de nous unir dans la lutte pour la liberté de notre pays ! C'est à l'appel de la France que nous avons obéi !

« L'article premier de notre politique consiste à faire la guerre, c'est-à-dire à donner la plus grande extension et la plus grande puissance possible à l'effort français dans le conflit… La grandeur de la France est la condition *sine qua non* de la paix du monde. Il n'y aurait pas de justice si justice n'était pas rendue à la France… »

Les applaudissements scandent le discours.

« Si l'on a pu dire que cette guerre est une révolution, poursuit de Gaulle, cela est vrai pour la France plus que pour tout autre peuple… Il n'y a pas le moindre doute que de la crise terrible qu'elle traverse sortira pour la nation française un vaste renouvellement. »

De Gaulle unit dans son discours « Honneur et Patrie » et « Liberté, Égalité, Fraternité... Et nous disons Libération ! ».

« La route que le devoir nous impose est longue et rude », conclut-il.

La foule chante. « Allons enfants de la Patrie... »

De Gaulle murmure en serrant les mains qui se tendent vers lui :

« Aucun d'entre nous n'a le droit de se décourager ! »

25.

S'il est un homme qui, à l'égal de De Gaulle, estime, en cet automne de 1941, qu'on n'a pas le droit de se décourager, c'est Winston Churchill.

L'énergie et la détermination du Premier Ministre britannique semblent inépuisables.

Il houspille les chefs d'état-major, il bombarde de télégrammes les généraux, leur communique ses suggestions qui sont des ordres, exige d'être tenu informé, heure par heure, du développement d'une opération.

Il suit particulièrement les attaques et contre-attaques qui se succèdent en Cyrénaïque, s'inquiète chaque jour du sort de Tobrouk, objectif des colonnes de Rommel, de cet *Afrikakorps* qui a remporté au printemps de 1941 une série de succès.

Il craint que Rommel ne menace Le Caire, l'Égypte, et donc le canal de Suez, cette artère vitale de l'Empire britannique.

Il harcèle le général Wavell, puis son remplaçant Auchinleck.

« Merci de veiller à ce que je reçoive une ample provision de photos des théâtres d'opérations, par exemple Sollum, Bardia... Je ne puis naturellement avoir la prétention de juger à distance des conditions locales, mais la maxime de

Napoléon semble bien s'imposer : "Frappez la masse et tout le reste vient par surcroît." »

On murmure dans les états-majors que Churchill a tendance à penser « en termes de sabres et de baïonnettes », qu'il ne semble pas comprendre que « des hommes armés seulement de fusils ne comptent pas dans une guerre moderne », mais il bouscule toutes les résistances.

Ses messages sont surmontés d'une étiquette rouge, *ACTION THIS DAY*, et ceux qui les reçoivent ne peuvent se dérober.

Ainsi, le 21 octobre 1941, quand les analystes qui cherchent à Bletchey Park à casser le code naval et militaire d'*Enigma* réclament de nouveaux moyens, Churchill envoie aussitôt un message à étiquette rouge au général Ismay :

« Faites en sorte qu'ils aient tout ce qu'ils demandent en priorité absolue, et informez-moi dès que ce sera chose faite. »

Cependant, malgré l'énergie et le volontarisme de Churchill, la situation de l'Angleterre en cet automne 1941 reste difficile.

Les villes anglaises sont bombardées chaque jour et on relève des milliers de morts et de blessés sous les décombres.

Les convois, escortés pourtant par la marine américaine entre les côtes des États-Unis et l'Islande, subissent les assauts des « meutes » de sous-marins allemands. Et les pertes sont lourdes. C'est toujours « la mer cruelle ».

Certes, la loi Prêt-Bail autorise le président Roosevelt à vendre, à prêter, à louer des matériels militaires à tout pays dont la défense est considérée par le président comme vitale pour celle des États-Unis.

Mais Roosevelt a refusé de s'engager plus avant.

Churchill a rencontré le président américain, le 9 août 1941, à Plamenton Bay, au large de Terre-Neuve. Il a traversé l'Atlantique à bord du cuirassé *Prince of Wales*.

« On aurait dit que Winston montait au ciel à la rencontre du bon Dieu », confie le conseiller de Roosevelt Harry Hopkins.

« Je me demande si le président va m'aimer », s'est interrogé plusieurs fois Churchill qui veut séduire Roosevelt, le convaincre de faire un pas de plus vers l'entrée en guerre.

Le président Roosevelt est arrivé à bord du cuirassé *Augusta*. Le dimanche 10 août au matin, la rencontre commence par un service religieux émouvant et grandiose.

« Aucun des participants, raconte Churchill, n'oubliera jamais le spectacle de cette assemblée massée sur le pont arrière du *Prince of Wales*. »

Là, sont réunis autour des deux hommes d'État les amiraux, les équipages.

**L'amiral King, les généraux Marshall, Dill et l'amiral Stark,
de gauche à droite, derrière Roosevelt et Churchill.**

« La symbolique de l'*Union Jack* et de la *Bannière étoilée* flottant côte à côte, les chapelains britanniques et américains se relayant pour réciter les prières, les rangs serrés des marins américains et britanniques entremêlés, utilisant les mêmes livres de prières, prononçant les mêmes implorations, chantant les mêmes hymnes familiers, chaque parole remuait les cœurs. Ce fut un grand moment à vivre… »

Parmi ces hommes d'équipage, combien allaient mourir ?

Churchill a choisi les hymnes. Il chante avec les marins.

> *En avant, soldats du Christ*
> *Marchez à la guerre*
> *Avec la croix de Jésus*
> *Qui vous précède*
> *Christ le Maître et le Roi*
> *Vous conduit contre l'ennemi*
> *En avant, à la bataille*
> *Unis derrière son étendard !*

Le 12 août, Churchill et Roosevelt signent la *Charte de l'Atlantique* qui énonce des principes généraux (libre détermination des peuples, abandon de l'usage de la force, etc.) définissant la démocratie libérale, en lutte contre la tyrannie. C'est l'*Ouest* – l'Occident – qui est défini.

« J'avais cru, dira Staline à Anthony Eden – le ministre des Affaires étrangères anglais – quelques semaines plus tard, que la *Charte de l'Atlantique* était dirigée contre les puissances qui visent l'hégémonie mondiale. Il semble maintenant que la Charte était dirigée contre l'Union soviétique. »

Eden élude, évoque la détermination de Churchill à conclure une « grande alliance » avec les États-Unis et l'URSS, mais il ne peut cacher les réticences du président des États-Unis.

Car Roosevelt s'est dérobé devant un engagement précis. Et, à son retour aux États-Unis, a déclaré que « rien n'avait changé... que les États-Unis n'étaient pas plus près de la guerre ».

Et le principe de la conscription n'a été voté qu'à une voix de majorité par le Congrès, le 12 août. C'est la mesure des réserves de l'opinion américaine devant la perspective d'une participation au conflit.

Il est vrai que la Russie est entrée dans la guerre et Churchill a aussitôt montré, lui, l'antibolchevique résolu, sa volonté « d'apporter toute l'aide possible à la Russie et au peuple russe ».

Et l'invasion de la Russie écarte le danger d'un débarquement des Allemands dans les îles Britanniques, et cela au moins pour quelques semaines...

Churchill confie à son secrétaire :

« Si Hitler envahissait l'enfer, je mentionnerais au moins le diable en termes favorables à la Chambre des communes. »

Mais ce « diable » de Staline est exigeant.

Il remercie Churchill pour ses discours chaleureux, son enthousiasme, sa compassion, mais il n'est pas homme à se contenter d'entendre le Premier Ministre déclarer : « Le péril de la Russie est notre péril... Redoublons donc d'efforts et frappons à l'unisson avec tout ce qu'il nous reste de vie et de puissance. »

Staline réclame des armes et, alors que les armées de Hitler menacent en cet automne 1941 Leningrad et Moscou, insiste pour que l'Angleterre ouvre un « *second front* » à l'ouest de l'Europe pour détourner quelques divisions allemandes du front russe.

Comment Churchill pourrait-il satisfaire Staline alors que l'Angleterre manque d'hommes, que les convois sont soumis aux attaques des sous-marins, ces diaboliques U-Boots, que de nouveaux dangers se profilent ?

En Asie, les Japonais qui ont occupé l'Indochine française menacent Singapour.

À Tokyo, le Premier ministre, le prudent Konoyé, a démissionné et a été remplacé, à la mi-octobre 1941, par le général Tojo, partisan d'une expansion japonaise dans toute l'Asie du Sud-Est.

Comment y résister sinon en alertant Roosevelt, en mettant en garde les États-Unis contre la menace japonaise ?

Mais Roosevelt se dérobe une nouvelle fois, connaissant les réticences de son opinion publique à tout engagement dans la guerre.

Alors, il faudrait faire face.

Organiser des convois vers Mourmansk pour l'Union soviétique et accepter les pertes causées dans ces mers glacées de l'extrême Nord par les U-Boots et la Luftwaffe.

Il faut harceler les chefs d'état-major, les remplacer par des hommes plus jeunes – lord Mountbatten et le général Alan Brook.

Il faut agir.

« J'aime qu'il se passe quelque chose, dit Churchill, et s'il ne se passe rien, je fais en sorte qu'il se passe quelque chose ! »

Churchill bombarde ainsi de télégrammes, d'ordres, le général Auchinleck afin qu'il attaque les troupes de Rommel qui menacent toujours Tobrouk, l'Égypte.

Il faut repousser l'*Afrikakorps*, préparer une contre-offensive – l'opération *Crusader* – afin d'en finir avec Rommel, ce renard du désert.

26.

Ce « renard » de Rommel est devenu en 1941 une figure de légende.

Il hante les Britanniques qui se souviennent de la rapidité avec laquelle Rommel a conquis la Cyrénaïque au printemps 1941.

Les Anglais ont découvert que le « renard du désert » les a bernés souvent, alors qu'il n'avait à sa disposition que quelques centaines de chars. Et maintenant il assiège Tobrouk.

Le général Rommel et un général italien devant Tobrouk.

L'état-major anglais rêve de le prendre au piège, de le capturer car l'Intelligence Service a réussi à l'automne à localiser le siège du QG du « Renard ».

Il serait situé à Breda Littoria, à 320 kilomètres du front. Des commandos britanniques débarquent à proximité. Ils parlent allemand, ne portent sur leur uniforme aucun signe distinctif. Ils trompent les sentinelles, pénètrent dans la maison où Rommel devrait résider. Échange de coups de feu, des Allemands sont tués ainsi qu'un officier britannique.

Rommel a bien séjourné dans cette maison, mais il l'a quittée il y a quelques jours.

Cet échec conforte la légende du Renard qui parcourt en véhicule blindé des centaines de kilomètres. Et parfois, il est au milieu des troupes anglaises.

Rommel est à bord d'un *Mammouth*, un véhicule britannique capturé. Avec lui, l'autre chef allemand, le général Cruewell et son état-major. À ces dix officiers s'ajoutent cinq soldats.

Nuit angoissante.

« Des soldats indiens porteurs de messages passaient constamment près du *Mammouth* ! Des chars anglais avançaient vers le front et des camions de marque américaine circulaient à travers le désert. Personne ne se doutait que les généraux commandant le groupe blindé de l'*Afrikakorps* se trouvaient là, dans cet ancien véhicule anglais, parfois à deux ou trois mètres. »

C'est ainsi que se forge auprès de ses troupes l'attachement à un chef légendaire, qui circule en première ligne et échappe à l'ennemi de façon miraculeuse.

Rommel aimerait pourtant quitter la Cyrénaïque, l'Afrique. Il écrit à son épouse, sa « chère Lu » :

« Chaleur effroyable, répète-t-il, invasion de moustiques, chaleur féroce aussi bien la nuit que le jour. L'eau de mer est trop chaude pour nous rafraîchir… Les nouvelles victoires remportées en Russie font plaisir à entendre. Ici, tout est calme pour le moment. Mais je ne me leurre pas. Nos tenaces amis de l'autre bord reviendront tôt ou tard. Je commence à recevoir les premières félicitations à l'occasion de ma promotion au grade de général de blindés. Bien entendu, je n'ai encore rien reçu d'officiel, mais je crois comprendre que cela a été annoncé à la radio.

« Je passe ordinairement une bonne partie de mon temps à circuler. Hier, je suis resté sur les routes pendant huit heures. Vous vous imaginerez sans peine la soif qui m'étreint après une telle randonnée.

« J'espère pouvoir partir en avion pour me rendre au QG du Führer dans une quinzaine.

« Il ne serait pas bon de le faire avant que l'affaire de Russie soit plus ou moins terminée car on n'accorderait pas beaucoup d'attention à mes intérêts…

« Le commandement italien est mécontent d'avoir si peu son mot à dire dans ce qui se fait ici… Peut-être veut-il un éclat pour se débarrasser de ma présence ou même de celle des forces allemandes. Ce n'est pas moi, pour sûr, qui regretterais de changer de théâtre d'opérations. »

Il ne quittera pas l'Afrique. Il sait que les Britanniques préparent sous la direction du général Auchinleck une contre-offensive. Sans doute sera-t-elle déclenchée au mois de novembre.

D'ici là…

« Je suis allé chasser hier soir avec le major von Mellenthin et le lieutenant Schmidt. Ce fut passionnant. Finalement, j'ai tiré une gazelle à la course, de la voiture. Nous avons mangé le foie au dîner. Délicieux. »

Il écrit à son fils, Manfred :

« Je t'écrirai plus souvent maintenant que tu es seul à la maison, commence-t-il.

« Ici, tout se déroule comme prévu. Je vais voir les troupes tous les jours. La plupart d'entre elles stationnent au bord de la mer. Nous nous baignons parfois. L'eau est encore très chaude et la chaleur reste très forte dans la journée, mais il fait maintenant si frais la nuit qu'il me faut deux couvertures. Ma nouvelle maison est très bien meublée. Le mur est couvert de cartes variées. Il y a surtout des cartes de Russie et nous y marquons immédiatement chaque avancée. »

En octobre 1941, Rommel croit encore à une campagne de Russie, brève, une réédition de la *Blitzkrieg* dont il a été un des acteurs en mai-juin 1940. Et il a l'impression d'être sur un théâtre d'opérations secondaire.

On devine sa frustration quand il s'exclame :

« Maintenant, tous ces communiqués spéciaux sur la Russie ! Je me demande si la Grande-Bretagne ne va pas bientôt commencer à avoir froid dans le dos ! »

Il se console… en commentant les « bonnes nouvelles » qu'il a reçues de Voggenreiter – son éditeur : « Mon éditeur dit que les droits d'auteur pour la grande édition (50 000 exemplaires) ne seront pas inférieurs à 25 000 marks. En même temps, Mittler & Sollin m'annoncent un crédit de 1 021,5 marks ! »

Il s'agit de son livre *Infanterie greift an* (*L'infanterie attaque*), dont plusieurs dizaines de milliers d'exemplaires (400 000 peut-être) ont été vendus.

« Cela fait une somme intéressante », conclut-il.

Il est, durant tout le mois d'octobre, passionné par ce qui se passe en Russie.

« Nouvelles splendides de Russie ! Après la fin des grandes batailles, nous pouvons espérer avancer vers l'est rapidement et enlever ainsi à l'ennemi la possibilité de constituer de nouvelles forces importantes. […] La Grande-Bretagne serait trop contente d'attaquer, mais elle ne possède ni les troupes ni le matériel qu'il faut pour effectuer un grand débarquement en Europe. »

Il est confiant, optimiste.

« L'Angleterre arrivera trop tard pour la Russie tandis qu'une attaque en Libye serait assez hasardeuse… Dès que nous aurons pris Tobrouk, il ne lui restera pas beaucoup d'espoir ici. »

Il chasse. Il organise un voyage à Rome où sa « très chère Lu » doit le rejoindre.

« Je pense que la situation me permettra de nous retrouver le 1er novembre… et de rester jusqu'au 15. Mais apportez-moi des vêtements civils (le costume marron). »

Mais Churchill a enfin décidé le général Auchinleck à lancer l'opération *Crusader*, dont l'objectif est de briser l'encerclement de Tobrouk. Et quand Rommel rentre en Afrique le 18 novembre 1941, la bataille est engagée.

« Très chère Lu, écrit Rommel, le 20 novembre.

« L'offensive ennemie a commencé immédiatement après mon retour. La bataille

Le général Auchinleck.

vient d'atteindre son point critique. J'espère que nous nous en sortirons en bon ordre. Tout sera probablement décidé au moment où cette lettre vous parviendra. Notre situation n'est assurément pas facile.

« Je vais aussi bien que possible. »

Rommel lance ses Panzers sur les arrières de l'ennemi qui reflue. Aucune aide n'a été apportée aux troupes d'Auchinleck par la garnison de Tobrouk, toujours encerclée.

Le 27 novembre, Rommel peut écrire à sa femme :

« Je vais très bien. Je viens de passer quatre jours à exécuter une contre-attaque dans le désert sans rien pour me laver. Nous avons remporté un magnifique succès…

« C'est aujourd'hui le vingt-cinquième anniversaire de notre mariage. Peut-être sera-t-il l'occasion d'un communiqué spécial ! Je n'ai pas besoin de vous dire quelle est notre union. Mais je veux vous remercier de tout l'amour et de toute la bonté que vous m'avez prodigués pendant ces années qui ont passé si vite. Je pense à vous avec gratitude, ainsi qu'à notre fils qui est pour moi une source de fierté. Avec ses dons magnifiques, il devrait aller loin.

« Je m'arrête ici. Notre prochaine manœuvre commence déjà.

« Je suis en excellente forme, plein d'entrain, prêt à tout. »

Quelques jours plus tard, contredisant les communiqués de victoire diffusés par le haut commandement de la Wehrmacht, Rommel confie à Lu :

« J'ai dû rompre l'action devant Tobrouk, à cause des unités italiennes et aussi de la terrible fatigue des troupes allemandes. J'espère que nous réussirons à échapper à l'encerclement et à tenir en Cyrénaïque.

« Je vais toujours bien.

« Vous pouvez imaginer ce que j'éprouve et mes inquiétudes.

« À ce qu'il semble, nous n'aurons pas de Noël, cette année. »

TROISIÈME PARTIE

Octobre

—

5 décembre 1941

« *Et ce sont ces gens sans honneur ni conscience, ces gens qui n'ont pas plus de sens moral que de tête qui ont le front de prêcher l'extermination de la grande nation russe – la nation de Plekhanov et de Lénine, de Belinski et de Tchernichevski, de Pouchkine et de Tolstoï, de Gorki et de Tchekhov, de Glinka et de Tchaïkovski, de Sechenov et de Pavlov, de Souvorov et de Koutouzov* [1] *!*

Les envahisseurs allemands veulent une guerre d'extermination contre les peuples de l'Union soviétique. Eh bien ! s'ils veulent une guerre d'extermination, ils l'auront. [...]

Les peuples d'Europe réduits en esclavage voient en vous leurs libérateurs... Soyez dignes de cette grande mission... La guerre que vous faites est une guerre de libération, une guerre juste. Une guerre où peuvent vous inspirer les figures héroïques de nos grands ancêtres. Alexandre Nevski [2], *Dimitri Donskoï* [3], *Minine et Pojarski* [4]... *Pas de pitié pour les envahisseurs allemands : mort aux envahisseurs allemands !* »

Joseph STALINE
6 et 7 novembre 1941 à Moscou

---

1. Les adversaires de Napoléon.

2. Nevski a mis en déroute les chevaliers Teutoniques en 1242.

3. Donskoï a battu les Tartares en 1380.

4. Qui ont combattu les envahisseurs polonais au XVIIe siècle.

27.

Rommel, sur les cartes de la Russie qu'il affiche au siège de son quartier général – ou dans le véhicule blindé qui en tient lieu –, trace, dans les premiers jours d'octobre 1941, plusieurs grosses flèches noires toutes dirigées vers Moscou.

L'une vient du sud, doit atteindre – occuper – les villes d'Orel et de Toula.

L'autre partant de Smolensk, passe par Yelnia, Viazma, et se situe au centre.

La dernière depuis le nord se dirige vers Volokolamsk, à quelques dizaines de kilomètres de la capitale soviétique.

Et Hitler veut que la ville soit prise avant l'hiver, avant Noël.

« Encerclez-les, écrasez-les, anéantissez-les », dit rageusement le Führer, le visage contracté, les poings serrés et brandis.

Les camarades de Rommel, les généraux Guderian, von Reichenau, ont lancé leurs divisions de Panzers, dès le 2 octobre. Orel est tombée, et Otto Dietrich, l'attaché de presse de la Chancellerie du Reich, a déclaré devant les correspondants des journaux étrangers en poste à Berlin :

« Sur le plan militaire, la Russie a cessé d'exister. Les Anglais n'ont plus qu'à enterrer leur rêve d'une guerre sur deux fronts. »

La guerre contre la Russie est particulière.

Dès le 10 octobre, le Feldmarschall von Reichenau a écrit et fait diffuser dans sa VIe armée des directives concernant le « comportement des troupes dans les territoires de l'Est ».

« Le soldat dans les territoires de l'Est n'est pas seulement un combattant conformément aux règles de l'art de la guerre, mais aussi le porteur d'une idéologie nationale et le vengeur des bestialités qui ont été infligées aux Allemands et aux nations racialement apparentées.

« C'est pourquoi le soldat doit avoir une totale compréhension de la nécessité d'une revanche juste mais sévère contre la sous-humanité juive. L'armée doit également viser l'annihilation des révoltes ouvrières qui, ainsi que l'expérience le prouve, ont toujours été causées par les Juifs.

« Le fait de nourrir les autochtones ou les prisonniers de guerre qui ne travaillent pas pour les forces armées en utilisant les cuisines de l'armée est un acte humanitaire erroné tout autant que l'est le fait de leur donner du pain ou des cigarettes... »

Prisonniers russes cassant la glace d'une rivière pour boire.

La tâche historique de l'armée est de « libérer le peuple alle-mand une bonne fois pour toutes du danger judéo-asiatique ».

Les soldats soviétiques qui ont été faits prisonniers crève-ront de faim, leurs officiers et tous ceux qui sont soupçonnés d'être des commissaires politiques seront abattus. Et les Juifs abattus puisque, selon Reichenau, instigateurs de toutes les révoltes.

C'était ainsi depuis l'entrée des troupes allemandes en Russie, il y a trois mois, mais désormais et parce que les Russes résistent, contre-attaquent, laisser mourir ou tuer – et les « civils » sont traités avec la même cruauté – devient systématique.

Le Feldmarschall von Reichenau a incité ses hommes à exterminer les judéo-bolcheviques qui sont aussi des judéo-asiatiques. Il est un fidèle exécutant des directives de Hitler.

Et puis les conditions de vie sont telles que le soldat en perd toute humanité.

Guderian note la première chute de neige dans la nuit du 6 octobre après un coup de gel à l'heure précise où s'amor-çait la marche sur Moscou.

Mais le 7, c'est le dégel.

L'écrivain Vassili Grossman, correspondant de guerre à *L'Étoile rouge*, se félicite de cette saison de la boue (*raspou-titsa*).

« Une pareille gadoue, personne n'en a vu, c'est sûr, la pluie, la neige, une soupe liquide, un marécage sans fond, une pâte noire touillée par des milliers et des milliers de bottes, de roues, de chenilles. Et tous sont contents : les Allemands s'enlisent dans notre infernal automne. »

Mais il suffit de quelques jours pour que la boue cède la place à la glace, et l'automne à un hiver précoce et aussi féroce que l'était la chaleur dont Rommel répétait qu'elle était « effroyable ». Ces mots reviennent sous la plume de Guderian.

« Le 12 octobre, la neige tombe toujours, les immensités blanches sont balayées par les blizzards sibériens. Le thermomètre descend en quelques jours à moins 25 degrés. »

Les soldats sont pétrifiés par le froid. Guderian réclame en vain des bottes épaisses, des gants, des chaussettes de laine.

« Mes hommes ont atteint la limite de leurs forces », clame-t-il.

Heinz Guderian.

Et cependant, les troupes allemandes avancent.

Après Orel, elles attaquent Toula. Moscou semble à portée d'un dernier effort. Mais, signale Guderian à l'état-major :

« La glace nous crée des difficultés énormes car les crampons à glace et les cales des chenilles ne sont pas encore arrivés. Les chars ne démarrent qu'à condition d'allumer un feu sous le moteur. Le carburant gèle et l'huile se fige… Les mitrailleuses et les viseurs deviennent inutilisables. Autre chose très grave, notre canon antichar 37 mm s'avère inefficace contre le char lourd T 34 de l'armée Rouge.

« Et chaque régiment de la CXIIᵉ division d'infanterie a déjà perdu une moyenne de cinq cents hommes atteints de graves gelures des membres. »

Pourtant l'élan allemand n'est pas brisé : les villes sur la route de Moscou tombent les unes après les autres, des dizaines de milliers (650 000 ?) de soldats soviétiques sont faits prisonniers.

Staline, devenu commissaire à la Défense et commandant en chef, ne semble pas prendre la mesure du désastre qui s'annonce.

Le 5 octobre, il refuse d'accorder du crédit au rapport d'une patrouille aérienne qui a repéré une colonne de Panzers longue d'une vingtaine de kilomètres et qui n'est qu'à une centaine de kilomètres de Moscou. Beria veut même faire arrêter l'officier qui a rédigé le rapport sous l'accusation de propagande défaitiste !

Le 6 octobre, les blindés allemands sont à 75 kilomètres de Moscou, menaçant la chaussée de Volokolamsk.

Les Russes résistent avec acharnement. Le général Joukov est, le 10 octobre, nommé commandant en chef de l'ensemble du front. C'est le signe qu'enfin les Russes ont compris que Hitler a lancé une offensive dont le but est de s'emparer de Moscou.

Mais le porte-parole du gouvernement, Lozovski, lorsqu'il réunit les journalistes étrangers pour faire le point de la situation, continue de travestir la réalité.

Tendu, agressif, sarcastique, il nie la chute de Kiev, se moque lorsqu'on lui rapporte que les Allemands annoncent avoir fait des centaines de milliers de prisonniers, ou bien qu'Orel est tombé, que Moscou à en croire les discours de Hitler sera pris avant l'hiver.

« Plus les Allemands poussent vers l'est, plus ils s'approchent de la tombe de l'Allemagne nazie, dit Lozovski. Le discours de Hitler signifie seulement que le Führer est gagné par le désespoir. Il sait qu'il ne gagnera pas la guerre, mais il lui faut contenter plus ou moins les Allemands pour cet hiver, et il doit donc remporter quelques succès majeurs qui sembleraient indiquer qu'une certaine phase de la guerre est terminée. »

Hitler, selon le porte-parole soviétique, ne peut accepter et même concevoir l'accord anglo-américano-soviétique.

Puis Lozovski ajoute – et les journalistes échangent des regards stupéfaits comme si Lozovski voulait les préparer à la chute de Moscou :

« De toute façon, la prise de telle ou telle ville n'affecterait en rien l'issue finale de la guerre. »

Prenant sans doute conscience de cet aveu, Lozovski conclut sourdement :

« Si les Allemands veulent absolument avoir quelques centaines de milliers de morts de plus, leur vœu sera comblé. »

28.

Les Russes qui, le 8 octobre, se contentent de lire les grands quotidiens, la *Pravda*, et les *Izvestia*, apprennent seulement que d'âpres combats se déroulent dans le secteur de Viazma, entre Smolensk et Moscou, mais donc à 200 kilomètres de la capitale. Et pourtant, dans les gares de Moscou, la foule prend d'assaut les trains qui partent vers l'est, l'au-delà de l'Oural.

La rumeur se répand ce 8 octobre que les ambassades, les ministères ont reçu l'ordre de se préparer à l'évacuation.

Le 9 octobre, la *Pravda* appelle à la vigilance.

Le peuple de Moscou doit « mobiliser toutes ses forces pour repousser l'offensive ennemie ».

Le journal met les Russes en garde contre « les espions et les agents provocateurs, les défaitistes qui ont pour mission de désorganiser les arrières et de semer la panique ».

Les Moscovites savent ce que cela signifie : répression, déportations, exécutions.

On dit que les troupes du NKVD – la police politique – sont organisées en « groupes de sécurité de l'arrière avec mission de tirer à la mitrailleuse sur tous ceux qui céderaient à la panique, ou sur les troupes qui battraient en retraite sans en avoir reçu l'ordre ».

Mais les soldats russes s'accrochent au sol de la « mère patrie ». Et les généraux allemands le constatent amèrement :

« À notre grande surprise, et à notre désappointement, écrit le général Blumentritt, nous avons constaté, entre octobre et novembre, que ces bolcheviques vaincus ignoraient absolument qu'ils avaient cessé d'exister comme puissance militaire, ainsi que le répètent Hitler et son entourage ! »

Quant à Guderian, il rapporte les propos que lui tient un vieux général tsariste :

« Si vous étiez venus il y a vingt ans, nous vous aurions accueillis à bras ouverts. Aujourd'hui, il est trop tard. À peine commencions-nous à nous remettre sur pied que vous nous rejetez de vingt ans en arrière et vous nous obligez à repartir de zéro, mais depuis lors, les temps ont bien changé. À présent, nous combattons pour la patrie russe et cette cause-là nous trouvera toujours unis comme un seul homme. »

Le journal de l'armée, *L'Étoile rouge*, écrit le 8 octobre :

« Hitler a jeté dans cette bataille tout ce qu'il avait – les chars les plus anciens, tous les blindés récoltés en Hollande, en France ou en Belgique… Les soldats soviétiques doivent à tout prix détruire ces chars, neufs ou anciens, lourds ou légers. »

En caractères gras, et en première page, *L'Étoile rouge* n'hésite plus à évoquer la gravité de la situation militaire : « L'existence même de l'État soviétique est en danger… Tout soldat de l'armée Rouge doit tenir fermement et se battre jusqu'à la dernière goutte de son sang. »

Le 12 octobre, la *Pravda* titre sur « le terrible danger qui menace le pays ».

Vassili Grossman, revenant du front, est étonné par ce qu'il voit en arrivant à Moscou :

« Des barricades aux accès lointains de la ville, aux accès proches et dans la ville elle-même, surtout sur ses pourtours. » Il se rend au siège de *L'Étoile rouge*, raconte ce qu'il a vu : Orel, contrairement à ce qu'affirme le haut comman-dement, a été pris sans combat, et comment l'état-major l'a renvoyé.

Mais le rédacteur en chef se contente de lui dire :

« Ce qu'il nous faut, ce n'est pas votre voiture criblée de balles mais des papiers pour le journal. Retournez au front ! »

Il écrit rapidement un article : « *Dans les bunkers de l'en-nemi sur l'axe de l'Ouest* ».

« Tranchées allemandes, postes de tir, bunkers d'officiers et de soldats : l'ennemi a été ici. Vins et cognacs français, olives grecques, citrons jaunes pressés à la va-vite provenant de leur « allié », l'Italie servilement soumise. Un pot de confi-ture avec une étiquette polonaise, une grande boîte ovale de conserve de poisson, tribut venu de Norvège, un bidon de miel approvisionné depuis la Tchécoslovaquie… et puis gisant comme un symbole menaçant au milieu de ce festin fasciste, la douille cabossée d'un obus soviétique…

« Dans les bunkers de soldats, le tableau est bien différent : on n'y voit pas d'emballages de bonbons ni de sardines à demi mangées. Mais on y trouve des boîtes de purée de pois et des tranches d'un pain lourd comme du plomb. En soupe-sant dans leurs mains ces briquettes de pain qui ne le cèdent à l'asphalte ni par la couleur ni par le poids, les soldats de l'armée Rouge constatent avec un petit sourire :

« Eh bien, mon vieux, pour du pain, ça c'est du pain. »

Vassili Grossman regagne le front, mais celui-ci est désor-mais tout proche de Moscou.

Les troupes russes qui résistaient à Viazma depuis une semaine ont été vaincues après des combats acharnés. Et les Panzers, en dépit du froid déjà glacial en cette mi-octobre, foncent vers Moscou.

Les Russes commandés par Joukov – et ses adjoints Koniev, Sokolovski (chef d'état-major) – ne sont pas sûrs de pouvoir empêcher une percée allemande. Le général Rokossovski a la charge du secteur le plus menacé, celui de Volo-kolamsk.

Le 12 octobre, le Conseil national de défense a « invité » la population de Moscou à édifier plusieurs lignes de défense autour de Moscou.

Les deux lignes les plus rapprochées suivent les boulevards extérieurs de la ville.

On dit que Moscou se défendra comme s'est défendue Madrid face aux troupes du général Franco.

Le 13 octobre, le secrétaire de la fédération du Parti communiste de Moscou déclare : « Ne fermons pas les yeux, Moscou est en danger. »

Il annonce une répression impitoyable pour toute manifestation de panique. On exécutera les déserteurs, les lâches, les propagateurs de fausses nouvelles.

Chaque district de Moscou devra former un bataillon de volontaires appelés « Bataillons communistes de Moscou ».

Les 12 et 13 octobre, l'évacuation à Kouïbychev et dans d'autres villes de l'Est des services gouvernementaux est décidée.

Ainsi dans les rues, aux abords des gares, se croisent ceux qui abandonnent la ville, et ceux, armés de pelles, de pioches ou d'un fusil, qui partent vers la périphérie de la ville, pour creuser des fossés antichars, scier des arbres, ou bien au prix de lourdes pertes colmater les brèches que la mort creuse parmi les unités qui résistent aux Allemands.

Dans le ciel, les pilotes russes jettent leurs avions contre les bombardiers de la Luftwaffe qui chaque jour viennent larguer leurs bombes sur Moscou.

Au matin du 16 octobre 1941, on raconte que deux chars allemands sont apparus à Khimki, dans la banlieue nord de Moscou.

29.

Ce 16 octobre 1941, on dit que ces deux chars allemands parvenus jusqu'à la banlieue nord de Moscou ont été détruits.

Mais la terreur, la panique, le désespoir s'emparent de la plus grande partie de la population de Moscou.

Les Allemands ont percé les lignes russes ! Les Allemands arrivent ! Moscou va tomber, se rendre. Voici ce qu'on entend :

On apprend que les villes de Kalouga au sud et de Kalinine au nord sont aux mains des « fascistes ».

Les troupes de Rokossovski, les bataillons communistes, des troupes fraîches arrivées d'Extrême-Orient les ont pour l'instant arrêtés, mais la présence des deux chars montre que la brèche n'est pas colmatée.

On affirme que les Allemands sont aux portes de Moscou.

Toutes les nuits, on entend distinctement le canon. Et le jour, les explosions des bombes lâchées par la Luftwaffe scandent les heures. L'air est chargé de fumée, saturé d'odeurs de papier brûlé. Mais l'usine « Faucille et Marteau » continue de tourner jour et nuit, et fabrique des hérissons antichars qui sont aussitôt installés sur les lignes de défense des boulevards extérieurs. Dans d'autres usines, les directeurs se sont enfuis, comme de nombreux officiels dont les voitures ont croisé dans les rues les bataillons de volontaires marchant sans enthousiasme vers le front.

Pour tout Moscou, on n'a pu enregistrer que douze mille volontaires. La résolution de défendre Moscou n'anime ainsi qu'une partie de la population.

Ces jeunes ouvrières d'usine ont rejoint le Front du travail.

« On nous amena à quelques kilomètres de Moscou, raconte l'une d'elles à Alexander Werth. Nous étions beaucoup. On nous a dit de creuser des tranchées. Nous étions toutes très calmes, mais saisies de stupeur… Ce n'était pas croyable… Dès le premier jour, nous fûmes mitraillées par un Fritz qui descendit sur nous en piqué. Onze jeunes filles furent tuées, quatre blessées.

« Nous travaillâmes tout le jour, et tout le jour suivant. Par bonheur les avions allemands ne revinrent pas. »

Le directeur de l'usine distribue à ses ouvrières les stocks de vivres dont il dispose. Et la jeune femme les enterre dans la cave de ses parents.

« Nous pensions pouvoir vivre à la cave si les Allemands venaient car nous savions qu'ils ne pourraient rester longtemps à Moscou. »

Le directeur d'usine a miné le bâtiment, les machines et, ce 16 octobre, « jour de grande panique », il est prêt à faire exploser son entreprise. Il recevra l'ordre, dès le 17, de ne rien faire sauter.

Dans d'autres entreprises, des pillages ont lieu et, le 19 octobre, l'état de siège est proclamé. Des cours martiales jugeront les pillards, les espions « diversionnistes et agents provocateurs ». Le maintien de l'ordre dans Moscou est confié au commandant des troupes du NKVD.

Mais la « grande panique » du 16 octobre commence à se dissiper.

Deux millions de personnes ont été évacuées et les « fuyards », les « paniquards » les « officiels » avec ou sans laissez-passer ont aussi quitté la ville pour l'Est, Kouïbychev.

Et surtout la radio a, tout au long de la journée du 17 octobre, répété que Staline était à Moscou.

Et cela rassure, comme si la présence de Staline garantissait que Moscou ne serait pas occupé par les Allemands, la peur et la confiance changeaient de camp.

Et puis la neige tombait, et le vent glacial cisaillait les corps mal protégés. Et l'on disait que les Allemands n'avaient pas de tenue d'hiver ; contrairement aux soldats de l'armée Rouge, disposant de survêtements blancs, de vestes molletonnées.

On ne peut se battre efficacement que si le corps et l'être ne sont pas rongés par le froid.

Vassili Grossman rapporte les observations d'un capitaine de l'armée Rouge qui s'est approché à une cinquantaine de mètres des Allemands et a étudié leur comportement.

« Avant de pénétrer dans la forêt, les Allemands l'arrosent sauvagement de balles, puis ils foncent à toute allure… Le soir, ils sortent à la lisière de la forêt et font donner les pistolets-mitrailleurs. Il y a eu une cavalcade et un hurlement de sauvage. Des dizaines de fusées se sont élevées dans l'air. L'artillerie s'est mise à tirer au hasard, les mitrailleuses crépitaient, les pistolets-mitrailleurs tiraient vers le ciel. Leur façon de faire était celle de fous complets », conclut le capitaine russe.

L'angoisse, la peur, la découverte d'une nature hostile, la sensation d'être perdus dans une immensité boueuse ou glacée sapent la confiance de la Wehrmacht, harcelée par les « partisans », attaquée par des troupes russes bien équipées.

Le général Blumentritt, chef de la IVᵉ armée, écrit, évoquant la *raspoutitsa* qui a transformé les sols en glue, durant la première quinzaine d'octobre :

« Les fantassins pataugent, glissent et tous les véhicules sur roue s'embourbent jusqu'au moyeu. Chaque pièce d'artillerie doit être tirée par un attelage de plusieurs chevaux. Même les tracteurs à chenilles n'avancent que difficilement.

Une grande partie de notre artillerie lourde est restée enlisée dans cet océan de boue gluante… L'état d'épuisement de nos troupes s'imagine sans peine. »

Puis viennent le gel, la glace, les blizzards polaires.

« Alors que Moscou est presque en vue, confie Blumenttrit, le moral des officiers et des hommes commence à baisser. La résistance ennemie s'accentue et les combats deviennent plus féroces. Plusieurs de nos compagnies sont réduites à soixante ou soixante-dix hommes. L'hiver est là et nous n'avons pas encore reçu d'équipements chauds… Derrière les lignes, les forêts et les marécages se peuplent de partisans dont l'action se fait durement sentir. À chaque instant, nos colonnes de ravitaillement sont attaquées. »

Le 17 octobre, en annonçant la présence de Staline à Moscou, Tcherbakov, le secrétaire de la Fédération du Parti communiste de Moscou, dément les rumeurs selon lesquelles des chars allemands auraient atteint la banlieue nord de Moscou.

Moscou, dit-il, ne se rendra jamais, sera défendu opiniâtrement jusqu'à la dernière goutte de sang.

« Chacun de nous, quels que soient son travail ou sa situation, doit se conduire en soldat et défendre Moscou contre les envahisseurs fascistes. »

30.

Les Russes tiendront-ils ? Sauveront-ils Moscou ?

Les diplomates, les attachés militaires anglais, américains en poste dans la capitale soviétique sont sceptiques ou réservés.

Churchill lui-même est dubitatif.

Il ne cache pas qu'il n'est pas sûr que la « Russie dure longtemps ».

Mais il faut la soutenir, lui fournir tout le matériel militaire possible. Des missions diplomatiques, venues de Washington ou de Londres, se rendent à Moscou.

Hopkins et Harriman, les Américains, Beaverbrook, l'Anglais, rencontrent Staline qui courtoisement, mais avec insistance, leur demande d'ouvrir deux seconds fronts à l'Ouest pour soulager les Russes.

Il parle comme si les États-Unis étaient déjà en guerre, alors que Washington ne cesse d'affirmer qu'il soutient Londres et Moscou mais ne veut pas aller au-delà.

« C'est maintenant qu'il faut ouvrir les deux fronts, en France et dans les Balkans, ou bien en Norvège », répète Staline.

Les Anglais avouent qu'ils ne disposent pas des troupes pour lancer de telles opérations.

Staline alors se tourne vers Hopkins et réclame l'envoi de matériel, d'aluminium pour la construction d'avions, d'essence à forte teneur en octane pour que ces appareils puissent voler.

« Donnez-nous des canons antichars et de l'aluminium et nous pourrons nous battre trois ou quatre ans », affirme-t-il.

Hopkins, de retour à Washington, racontera à Roosevelt, fasciné, son entrevue avec Staline.

Harry Hopkins.

« Staline m'a accueilli avec quelques mots brefs, en russe. Il me prend la main rapidement. Il sourit avec chaleur. Il ne gaspille ni les paroles, ni les gestes, ni les attitudes. J'ai l'impression de m'adresser à une machine parfaitement coordonnée, une machine intelligente. Ses questions sont claires, concises, directes. Ses réponses sont nettes, sans ambiguïté : on aurait dit qu'il les avait au bout de la langue depuis des années. Quand il veut adoucir une réponse trop abrupte, il le fait avec un sourire rapide, très étudié, un sourire qui peut être froid et amical, austère et chaleureux tout ensemble. Il ne sollicite de vous nulle faveur. On dirait qu'il ne doute jamais et qu'il a la certitude que vous non plus ne doutez pas. »

L'Anglais Beaverbrook est tout aussi enthousiaste.

Il rencontre Staline et a avec lui de longues conversations nocturnes comme les affectionne le dictateur.

Beaverbrook confie à Alexander Werth qu'il a été plus qu'impressionné par l'esprit pratique de Staline, ses capacités d'organisateur et ses qualités de chef national.

« Les Russes, dit Beaverbrook, sont le seul peuple du monde à affaiblir sérieusement l'Allemagne et il est de l'intérêt de l'Angleterre de se passer de certaines choses pour les donner à la Russie. »

Les envois de matériel vont s'intensifier.

Les convois de navires doivent traverser la mer arctique peuplée de sous-marins allemands avant de parvenir à Mourmansk. Ils affrontent une mer glaciale, aux icebergs dangereux, les pertes en navires et en hommes sont lourdes.

Aussi Anglais et Russes occupent-ils l'Iran pour s'ouvrir une route terrestre, au sud.

Mais, en ces mois de l'automne et de l'hiver 1941, alors que les Allemands sont à quelques dizaines de kilomètres de Moscou, les Russes ne peuvent encore compter que sur eux-mêmes.

Leurs richesses, ce sont l'espace et ce peuple capable d'endurer les plus cruelles souffrances. Sur ces terres infinies de l'au-delà de l'Oural, dans ces villes sibériennes, des usines transférées depuis les territoires occupés par les Allemands surgissent en quelques semaines. Les hommes et les femmes, évacués de Kiev, d'Orel ou de Moscou, ont été transportés dans cet Est glacial.

Ils travaillent souvent quinze heures par jour, épuisés, affamés. Certains doivent marcher de cinq à dix kilomètres pour se rendre à leur travail. Là, le froid coupe les mains. La terre qu'il faut creuser pour bâtir les fondations d'une usine est dure comme une pierre.

On utilise la dynamite pour la briser. Les pieds et les mains sont gonflés d'engelures mais on n'abandonne pas le travail.

On pense aux soldats, à la mort qui les guette en même temps que le froid et le blizzard les mordent.

Dans cette situation, comment se plaindre alors qu'on ne risque pas d'être tué par l'ennemi ?

À Sverdlovsk, la capitale de l'Oural, une usine de guerre est construite ainsi en deux semaines.

Le douzième jour, les machines couvertes de gelée blanche arrivent. On allume des brasiers pour les dégeler et, deux jours plus tard, l'usine reprend sa production.

Mais cet effort, ces souffrances, ces privations, cette abnégation, et aussi la crainte de la répression, ne suffisent pas à redresser la situation.

Octobre et novembre 1941 sont des mois tragiques. L'Ukraine – avec Kiev et Kharkov –, le Donbass qui produit 60 % du charbon de l'URSS, la Crimée – à l'exception de Sébastopol – sont aux mains des Allemands.

La ville de Rostov a été perdue par les Russes puis reprise, les Allemands sont repoussés de 60 kilomètres.

Première victoire russe, première défaite allemande depuis septembre 1939.

Le Führer s'emporte, « plongé dans un état d'extrême exaltation ». Il s'en prend à von Rundstedt qui a ordonné cette retraite. Il téléphone au Feldmarschall :

« Restez où vous êtes, ne reculez pas d'un pouce !

– Essayer de tenir serait une folie, répond von Rundstedt. D'une part, mes troupes ne le peuvent plus. D'autre part, si elles ne se replient pas, elles seront anéanties. Annulez votre ordre ou trouvez un autre chef pour l'exécuter. »

Dans la nuit, Hitler prend sa décision communiquée à von Rundstedt :

« J'accède à votre requête et vous prie d'abandonner votre commandement. »

Von Reichenau remplace von Rundstedt, mais il obtient du Führer le droit de poursuivre la retraite. Des milliers d'hommes ont été sacrifiés en vain.

« Nos déboires ont commencé à Rostov », déclarera Guderian.

Mais, en octobre-novembre 1941, on ne mesure pas la signification et les conséquences de cette première victoire russe.

La situation militaire s'aggrave chaque jour.

Leningrad est désormais encerclé, les Allemands ayant coupé la « route de vie » qui, à travers le lac Ladoga, lui permettait d'être ravitaillée.

Si sur la voie ferréc la station de Tikhvin n'est pas reprise aux Allemands, la ville de Lénine est condamnée à mourir de faim.

Devant Moscou, toutes les patrouilles, les vols de reconnaissance signalent que les Allemands préparent une nouvelle offensive. Les forces rassemblées – divisions de Panzers, infanterie, artillerie – sont considérables : Hitler vcut entrer dans Moscou avant Noël.

Ce 6 novembre 1941 est la veille du vingt-quatrième anniversaire de la révolution de 1917.

31.

Moscou, 6 novembre 1941. Ciel noir, vent glacial qui déchire les nuages bas. Il a neigé. Il neige. On entend le roulement de la canonnade qui, au gré du vent, se rapproche ou s'éloigne.

Des ambulances passent. Elles ressemblent à des camions. Elles transportent les blessés vers les hôpitaux surpeuplés où l'on entasse dans les couloirs les soldats en surnombre. Ils sont des milliers de blessés, le front est à une soixantaine de kilomètres de Moscou.

Des groupes d'hommes et de femmes emmitouflés marchent vers la grande gare Maïakovski du métro de Moscou, où doit se tenir le traditionnel meeting de la veille du jour de la Révolution. Pas d'enthousiasme mais une sombre résolution. Que manifester d'autre quand l'ennemi envahit votre patrie, détruit votre maison, tue par milliers les prisonniers, les suspects ? Il faut le chasser.

C'est aussi ce que demandent Staline et les siens. Les « groupes de sécurité de l'arrière », du NKVD, surveillent, prêts à frapper « les lâches, les déserteurs ».

On sait qu'on est espionné, que la poigne de fer du NKVD ne s'est pas desserrée, au contraire.

Il suffit d'être soupçonné de colporter de fausses nouvelles pour être arrêté, déporté, en vertu de l'*article 58*, qui définit les « opposants politiques » condamnés aussitôt à une peine de dix ans de camp.

Les ouvriers, dans les usines de l'Oural, savent qu'ils peuvent être accusés de sabotage.

Alors, pour la Sainte Russie, par patriotisme, parce que la terreur règne toujours, on donne toutes les forces qu'on peut encore posséder malgré le froid et souvent la faim.

Tout se mêle : la volonté de sauver la Russie, et les règles inhumaines du travail forcé.

Des populations entières, suspectes, sont déportées en Sibérie. Ainsi les six cent mille Allemands de la Volga, installés là depuis le Moyen Âge.

Parmi les prisonniers des camps du Goulag – les Zeks –, beaucoup sont volontaires pour le front. Soljenitsyne les observe avec mépris et accablement.

« Dès les premiers jours, il y eut beaucoup de Zeks qui déposèrent des requêtes aux fins d'être retenus pour aller au front. Ils avaient goûté au plus dense concentré de puanteur que la louche puise dans les camps, et les voici maintenant qui demandaient qu'on les envoyât au front défendre ce système de camps et mourir pour lui dans les compagnies disciplinaires. »

Et il y a les prisonniers des geôles du NKVD, qu'on n'a pu évacuer avant l'arrivée des Allemands et qu'on a tués d'une balle dans la nuque.

À cause de tout cela, dans le grand hall de la gare Maïakovski du métro de Moscou, des centaines de délégués du soviet de Moscou, des représentants des forces armées, du parti, des syndicats, des jeunes du Front du travail, se pressent et saluent avec des applaudissements frénétiques l'arrivée de Staline.

Staline commence à parler lentement, de sa voix rugueuse. Il exalte l'armée Rouge.

Joseph Staline.

« La défense de Moscou et de Leningrad montre qu'au feu de la Grande Guerre patriotique de nouveaux soldats, de nouveaux officiers... se forgent : ce sont ces hommes qui demain seront la terreur de l'armée allemande. »

Les applaudissements déferlent.

La Grande Guerre patriotique, l'armée Rouge font naître la ferveur.

Et Staline le sait, évoquant la « grande nation russe », mêlant Lénine et Tolstoï, Pouchkine et Gorki, rappelant Koutouzov et Souvorov.

« Les envahisseurs allemands veulent une guerre d'extermination contre les peuples de l'Union soviétique. Eh bien, s'ils veulent une guerre d'extermination, ils l'auront. »

On l'acclame longuement. Il élève la voix :

« Votre devoir, c'est de détruire tous les Allemands, c'est de détruire, jusqu'au dernier homme, tous les Allemands venus occuper notre pays. Pas de pitié pour les envahisseurs allemands ! Mort aux envahisseurs allemands ! »

Les applaudissements durent plusieurs minutes.

Puis le silence s'établit parce que Staline évoque la « coalition des Trois Pays », l'Angleterre, qui a envoyé des matières premières, les États-Unis qui ont consenti un prêt de un milliard de dollars.

« Cette union ne pourra que se renforcer pour la cause commune : la Libération. »

Libération ?

Parmi les Russes rassemblés, combien pensent à la « liberté » qui peut-être viendra couronner la victoire et faire disparaître cette peur qui, depuis les années 1930, serre la gorge de chaque citoyen de l'URSS quand il songe au NKVD, à la prison de la Loubianka, où l'on tue d'une balle dans la nuque.

Alors on peut, on doit, on veut crier avec Staline.

> « Longue vie à notre armée Rouge et à notre
> marine Rouge !
> « Longue vie à notre glorieux pays.
> « Notre cause est juste ! Nous aurons la victoire ! »

Le lendemain, 7 novembre 1941, le ciel est moins noir, mais le vent froid, plus froid, balaye la place Rouge sur laquelle sont rangés des bataillons qui viennent du front ou vont s'y rendre.

Staline s'adresse à ces troupes, cependant que des avions de chasse patrouillent dans le ciel de Moscou pour empêcher un raid de la Luftwaffe.

« Camarades ! L'ennemi est aux portes de Moscou et de Leningrad, lance Staline.

« La guerre que vous faites est une guerre de libération, une guerre juste, une guerre où peuvent vous inspirer les figures héroïques de nos grands ancêtres, Alexandre Nevski, Dimitri Donskoï, Minine et Pojarski, Alexandre Souvorov et Mikhail Koutousov ! Que flottent sur vous les étendards victorieux du grand Lénine... »

Ceux qui ont battu en 1242 les chevaliers Teutoniques, en 1380 les Tartares, au XVIIe siècle les envahisseurs polonais, en 1812 Napoléon et en 1920 les armées blanches sont des patriotes défendant la « Sainte Russie », la Russie révolutionnaire.

Et Staline est ainsi le continuateur d'Alexandre Nevski, d'Ivan le Terrible, de Pierre le Grand.

Il est, comme Lénine, le constructeur d'un État millénaire. Et les Allemands insultent le peuple russe, voulant l'exterminer, effacer cette histoire.

Il faut donc les vaincre, les tuer !

Et les bataillons défilent sur la place Rouge, et partent directement pour le front.

Des avions parachutèrent derrière les lignes allemandes les journaux relatant les deux discours de Staline.

Les nazis avaient annoncé la chute de Moscou, mais Moscou résistait !

Et les troupes qui avaient défilé sur la place Rouge allaient briser l'offensive allemande qui se préparait.

Staline avait conclu son discours par ces mots :

« Mort aux envahisseurs allemands ! Longue vie à notre glorieux pays, à sa liberté, à son indépendance !

« Sous la bannière de Lénine, en avant pour la victoire ! »

32.

La victoire, pour les Russes, en ce mois de novembre et ces premiers jours de décembre 1941, c'est de ne pas reculer, de creuser un trou dans le sol glacé recouvert d'une épaisse couche de neige et de s'accrocher à ce morceau de terre de la Sainte Russie.

Et d'empêcher ainsi que se referme sur Moscou la tenaille que les Allemands dessinent dans leur offensive.

Au nord, il faut bloquer l'avance des Panzers vers Volokolamsk.

Les soldats de l'unité antichar du major Panfilov subissent les attaques aériennes de la Luftwaffe puis les assauts des fantassins allemands, appuyés par une vingtaine de chars.

Les Russes résistent avec leurs grenades à main, des bouteilles de pétrole, des fusils antichars.

La neige devient noire et rouge.

Des chars brûlent, des hommes hurlent.

Et c'est déjà une nouvelle attaque avec trente chars. Le commissaire politique Klochkov se tourne vers les survivants, tous blessés, et dit :

« La Russie est grande mais on ne peut battre en retraite nulle part, puisque Moscou est derrière nous. »

Cette poignée de soldats russes blessés résiste donc, et le commissaire politique se lance sous un char avec un sac rempli de grenades qu'il fait sauter.

Et les Allemands se replient sans avoir percé.

Et des épisodes semblables, il s'en produit tout au long du front.

Au sud, l'autre pince de la tenaille allemande menace Toula, cette ville qu'après Orel il faut conquérir si l'on veut encercler et prendre Moscou.

Et les Allemands avancent, déclenchant la panique, l'exode.

Vassili Grossman se trouve pris dans cette fuite.

« Je pensais savoir ce qu'est une retraite, mais une chose pareille non seulement je ne l'avais jamais vue, mais je n'en avais pas même l'idée. L'Exode ! La Bible !

« Toula est saisi de cette fièvre de mort, torturante, cette fièvre terrible que nous avons vue à Gomel, à Orel… Se peut-il que Toula aussi ? C'est le chaos ! »

Le général Boldine, nommé commandant de la défense de Toula doit faire face aux Panzers de Guderian. Il est encerclé, apprend que les chars allemands ont coupé la route Toula-Moscou en plusieurs points.

Il hurle à ses subordonnés :

« Enlevez-moi ces Allemands sur la route de Moscou. »

Il est lui-même harcelé par le grand quartier général.

C'est le général Joukov qui lui intime une nouvelle fois l'ordre de rompre l'encerclement.

« Vous vous êtes arrangé pour vous faire encercler trois fois, n'est-ce pas un peu trop ? Vous devez évacuer votre poste de commandement ! Vous êtes une tête de cochon, vous n'avez pas exécuté mes ordres.

– Camarade commandant, si nous n'étions partis, moi et mon état-major, Guderian serait déjà ici, la situation serait pire ! »

Le général Boldine s'obstine, les Allemands sont repoussés et le trafic peut reprendre sur la route Toula-Moscou !

Le lieutenant August von Kageneck participe à ces combats acharnés.

Il s'interroge, saisi par l'angoisse.

Que la Russie est grande !

« Le ciel est gris, le pays blanc, l'horizon a disparu. Nous avançons dans un univers sans limites, sans bornes, froid, hostile, inhumain.

« La confiance dans nos chefs, dans notre armement, n'est nullement ébranlée, mais nous savons qu'il nous faut désormais beaucoup de chance pour vaincre. »

La neige s'est mise à tomber. Il fait une température de moins 20, moins 25, moins 38 degrés.

Cholodno, cholodno.

Froid, froid, psalmodient les paysannes quand les Allemands les chassent de leurs villages, de leurs isbas, pour s'y réfugier, tenter de se réchauffer. Et les soldats jettent dans les brasiers tout ce qui peut brûler.

Cholodno, cholodno.

Froid, froid !

Les partisans surgissent de la forêt voisine, mettent eux aussi le feu pour détruire les écuries, les abris où les Allemands se sont réfugiés. Les soldats rendus ivres de haine s'emparent d'une jeune combattante, Zoia, la torturent et la pendent.

Elle devient l'héroïne que d'autres jeunes femmes prennent pour modèle et dont les journaux russes vantent les exploits.

C'est une guerre impitoyable, sans autre règle que la survie, et pour cela il faut chasser « l'autre » du village où il s'abrite du froid.

« Il est impossible de rester debout dans la tourelle d'un char, dit August von Kageneck. Nous n'avons rien pour lutter contre un froid pareil.

« Ni gants, ni bottes fourrées, ni fourrures, pas de couvre-chef autre qu'un *Kopfschutzerun* – passe-montagne – que nous mettons sous le casque et le calot. Et un tricot à col roulé, refuge préféré des poux !

« Nous en sommes réduits à l'improvisation totale.

« C'est ainsi que Willy, "mon conducteur", raconte Kageneck, inverse la courroie de transmission du ventilateur du moteur de l'automitrailleuse. La chaleur dégagée par le moteur pénètre alors à l'intérieur de la tourelle.

Mais bientôt les moteurs, que l'on ranime en allumant des feux de pétrole sous les carters, ne partent plus.

« Nous sommes devenus des fantassins, vêtus comme des bandits avec des vêtements de fortune », dit Kageneck.

On dépouille les cadavres russes de leurs bottes de feutre et de leurs capes de fourrure.

Le froid tue autant que les Russes et souvent davantage !

« Nous apprenons à distinguer une gelure du deuxième degré d'une gelure du premier degré. Il faut immédiatement se frotter les mains et la figure avec de la neige, elles commencent à geler.

« Une marche prolongée dans la neige et les pieds sont fichus. On ne peut plus retirer les bottes. Il faut les découper. Nos morts se transforment en statues de bois.

« Si nous reprenons aux Russes un village que nous avons perdu quelques jours auparavant, nous trouvons toujours l'un ou l'autre de nos camarades mort, les jambes sciées à la hauteur du genou.

« Les Russes, eux, ont besoin de bottes en cuir.

« On ne peut plus enterrer les tués. Nous nous contentons de les recouvrir de neige. »

Sur tout le front, de Leningrad à Toula, et devant Moscou, c'est la même situation.

Guderian qui tente, à partir du sud, d'atteindre la capitale russe note :

« Avec ce froid de glace, c'est pas à pas que nous avançons vers l'objectif final et toutes les troupes souffrent terriblement du manque de ravitaillement... Sans essence, nos camions sont immobilisés !

« Mais nos troupes combattent avec une merveilleuse endurance en dépit des handicaps… Je rends grâce au ciel de ce que nos hommes se montrent de tels soldats. »

Le 2 décembre 1941, un bataillon de reconnaissance allemand pénètre dans la banlieue de Moscou. À l'horizon, les soldats aperçoivent les coupoles du Kremlin.

Mais dès le lendemain matin, les Allemands sont chassés de cette banlieue de Khimki par des « bataillons communistes » appuyant des troupes fraîches, bien équipées, arrivant d'Extrême-Orient.

Staline ne craint plus une attaque japonaise.

Les services de renseignements assurent que les Japonais sont décidés à ouvrir les hostilités contre les États-Unis.

Une flotte japonaise comportant plusieurs porte-avions serait en route vers les iles américaines du Pacifique.

Pearl Harbor, dans les îles Hawaii, serait menacé.

Le 3 décembre, le Feldmarschall von Bock, commandant la IVe armée, téléphone au général Halder :

« Les avant-gardes de la IVe armée ont dû se replier car les unités de flanc ne peuvent plus progresser, dit-il. Le moment approche où mes soldats succomberont… »

Le 4 décembre 1941, moins 38 degrés.

« La résistance ennemie atteint son paroxysme », note le général Halder.

Les T34 attaquent et les soldats de Guderian trouvent que les obus de 37 mm des canons antichars sont sans effet sur le blindage.

**Franz Halder
et Walter von Brauchitsch.**

« Il en est résulté une panique, note Guderian, la première panique depuis la campagne de Russie. »

Le 5 décembre 1941 est un jour noir pour l'armée allemande. La Wehrmacht est bloquée tout au long du front de 320 kilomètres qui devait prendre Moscou en tenaille.

Pire, la Wehrmacht recule.

« Les troupes ont atteint la limite de l'endurance », téléphone von Bock à Halder.

« C'est la première fois, écrit Guderian, que je suis contraint de donner l'ordre de repli à mes Panzers et rien ne m'est plus dur.

« L'attaque de Moscou a échoué, l'endurance et les sacrifices de nos braves soldats ont été vains. Nous avons essuyé une très grave défaite. »

Ce même 5 décembre 1941, le général Blumentritt, au quartier général de la IVe armée, déclare :

« À la toute dernière minute, notre espoir de vaincre la Russie en 1941 s'est écroulé. »

Demain, le 6 décembre 1941, le général Joukov doit lancer sur le front de Moscou la grande contre-offensive russe.

33.

Marcel Déat.

En ce début décembre 1941, sur le front de Moscou, face aux troupes de Joukov, il y a ces trois mille cinq cents Français de la Légion des Volontaires Français contre le bolchevisme (LVF).

Elle a été créée le 18 juillet 1941, à l'initiative de Jacques Doriot et Marcel Déat. Ces collaborateurs déterminés, venus du communisme et du socialisme, sont partisans de l'Ordre nouveau que le nazisme, selon eux, est en train de faire surgir en Europe.

La guerre entre la Russie bolchevique et l'Allemagne nazie donne enfin sens à leur engagement.

Doriot l'écrit dans son journal *L'Émancipation nationale* :

« Nous ne combattons pas seulement pour la France éternelle, mais pour la révolution européenne… De mensonges en trahisons, de trahisons en crimes, le communisme s'est placé lui-même en dehors de la conscience des hommes civilisés…

« C'est pourquoi nous saluons ce jour – le déchaînement de la guerre entre le Reich et la Russie soviétique – comme le navigateur, après une nuit de tempête, salue l'aube qui lui montre la terre nouvelle qu'appelaient ses vœux. »

À Vichy, on partage ce sentiment.

Le gouvernement Pétain a rompu les relations diplomatiques avec l'URSS qui était encore représentée auprès de l'État français par un ambassadeur – Bogomolov.

L'amiral Darlan, vice-président du Conseil, transmet à Otto Abetz pour le Führer une lettre dans laquelle « le gouvernement français regrette, faute de moyens, de ne pas aider à combattre le bolchevisme… Mais il a décidé de créer une Légion de volontaires et il est prêt à donner à ce corps le développement le plus considérable ».

En fait, Vichy soutient avec prudence cette initiative des « révolutionnaires » Doriot et Déat.

Les Allemands sont de même réservés.

Ils exigent que ces légionnaires combattent sous l'uniforme allemand. Regroupés au camp de Demba, en Pologne, ils prêteront serment à Hitler, le 5 octobre 1941.

Dans les rangs de la LVF, on est persuadé que c'est le Führer qui en novembre-décembre 1941 a décidé de faire monter la LVF au front selon l'axe suivi par la Grande Armée en 1812.

Les volontaires seront engagés sur le front de Moscou, début décembre, mais sous l'appellation de 638e régiment d'infanterie de la Wehrmacht. Un écusson tricolore signalera discrètement leur origine. Et l'état-major de la Wehrmacht les a accueillis avec réticence.

« Je leur ferai décharger à l'arrière des sacs de pommes de terre », a déclaré le maréchal von Brauchitsch.

En fait, ils participeront aux combats, dans les conditions terribles de ce froid féroce qui rend chaque geste douloureux, dangereux.

Rester immobile une demi-heure, c'est mourir ! Être blessé, c'est mourir !

Après deux jours de combat, la LVF a perdu 75 % de son effectif !

Cette participation symbolique à la guerre est révélatrice. Le gouvernement de Vichy subit la pression allemande.

Pétain a dû accepter la présence d'un consul allemand à Vichy. Le Maréchal est ainsi placé sous la surveillance directe des nazis.

En octobre, Pétain veut commémorer par une lettre flagorneuse sa rencontre du mois d'octobre 1940, à Montoire, avec Hitler.

« La victoire de vos armes sur le bolchevisme offre plus encore qu'il y a un an à cette collaboration un motif de s'affirmer désormais en des œuvres pacifiques pour la construction d'une Europe transformée », écrit Pétain.

Et Hitler le rabroue, exige qu'on chasse le général Weygand de son poste de chef de l'armée en Afrique du Nord.

Le Führer dénonce les fourberies des Français, évoquant même les seize mille Allemandes qu'auraient violées, en 1919, les Sénégalais !

Mais durant cet automne et cet hiver 1941, Hitler ne se contente pas de frapper avec des mots !

Il fait exécuter des dizaines d'otages : quatre-vingt-dix-huit en octobre et, à Paris du 8 au 14 décembre, cent autres !

Le couvre-feu est fixé à 18 heures et une amende de un milliard est infligée aux Juifs.

Pétain a d'abord pensé, pour arrêter ces exécutions d'otages, à se constituer prisonnier, en se rendant dans la zone occupée.

« Nous sommes déshonorés, a-t-il dit, tout ce sang va retomber sur nous. »

Sa voix semble éteinte, ses yeux sont embués de larmes. Il est devenu un vieillard sans ressort.

Mais il renonce vite à toute idée de protestation.

Il restera à Vichy. Il renverra Weygand comme l'exigent les Allemands.

À l'amiral Leahy qui l'interroge sur sa « capitulation », il répond seulement :

« Je suis prisonnier. »

L'ambassadeur américain constate :

« Le maréchal Pétain n'est plus que le reflet émouvant de celui qui a été autrefois le grand chef d'un grand peuple. »

Émouvant ?

Pétain trouve assez de force pour répondre au message de fidélité que lui a envoyé le colonel Labonne qui, faute de meilleur candidat – Labonne a été attaché militaire en Turquie et rien ne le qualifie pour diriger une unité au cours d'une campagne de Russie –, commande la LVF.

« À la veille de vos prochains combats, lui répond Pétain, je suis heureux de savoir que vous n'oubliez pas que vous détenez une part de notre honneur militaire…

« En participant à cette croisade dont l'Allemagne a pris la tête, acquérant ainsi de justes titres à la reconnaissance du monde, vous contribuez à écarter de nous le péril bolchevique : c'est votre pays que vous protégez ainsi en sauvant également l'espoir d'une Europe réconciliée… »

Ce thème de la croisade, le cardinal Baudrillart, de l'Académie française, recteur de l'Université catholique de Paris, le reprend et l'amplifie :

« Entre christianisme et communisme, il ne peut y avoir d'alliance, déclare-t-il.

« En Russie, les volontaires de la LVF combattent pour leur famille et pour leur patrie et en même temps pour la civilisation chrétienne de l'Occident menacée depuis longtemps par la barbarie communiste. »

Le cardinal cite Péguy, évoque Saint Louis, Jeanne d'Arc.

« Ce qui se joue, poursuit-il, c'est l'affrontement dans un combat définitif des puissances du Bien et du Mal… »

Les « légionnaires se rangent parmi les meilleurs fils de France.

« Notre Légion est l'illustration agissante du Moyen Âge de notre France des cathédrales ressuscitée...

« En vérité, cette Légion constitue, à sa manière, une chevalerie nouvelle. Ces légionnaires sont les croisés du XXe siècle. Que leurs armes soient bénies ! Le tombeau du Christ sera délivré ! ».

Le cardinal Baudrillart exprime avec vigueur l'une des justifications de la collaboration.

Et deux comités d'honneur se constituent – l'un en zone occupée, l'autre en zone libre – pour inciter à l'enrôlement dans la Légion des volontaires français contre le bolchevisme.

Des académiciens – Baudrillart, Abel Bonnard, Abel Hermant –, des écrivains – Alphonse de Châteaubriant –, des savants – Georges Claude –, des membres de l'Institut – Auguste Lumière – en font partie.

L'antibolchevisme incarné dans la LVF rassemble ainsi tous les courants de la collaboration ; le « conservateur » et le « révolutionnaire », Vichy et Paris.

Le maréchal Pétain, longtemps hostile à toute collaboration militaire avec l'Allemagne, reçoit deux fois le « lieutenant » Jacques Doriot, décoré de la croix de fer.

Et le fondateur du Parti populaire français – qui combat sous l'uniforme allemand – célèbre les légionnaires morts en Russie « aux côtés de camarades allemands tués dans la même bataille ».

« Ils symbolisent, affirme Doriot, la réconciliation de deux grands peuples européens que nous voulons complète. »

34.

Jacques Doriot.

Doriot pérore, prend la parole à Paris, au Vélodrome d'Hiver, devant une foule enthousiaste, au premier rang de laquelle plastronnent, portant le même uniforme, des officiers allemands et des volontaires de la LVF.

Doriot évoque la fraternité d'armes entre Français et Allemands. Il fait le récit des combats « héroïques » de la LVF qui défend en ce début décembre 1941 un secteur du front de Moscou. Des essayistes, comme Alfred Fabre-Luce, lui apportent leur soutien.

« Quand le soldat né sur les bords du Rhin, écrit Fabre-Luce, avance au-delà de la Vistule, c'est la frontière de notre civilisation qu'il déplace. C'est de la France aussi qu'il éloigne le danger de la horde...

« [...] Jacques Doriot, en s'inscrivant à la LVF, donne un rare exemple d'accord entre les idées et les actes. Ce soldat qui part pour le front de l'Est est aussi un homme d'État qui achève sa figure politique et prend une position d'avenir. »

En fait, jamais comme en cette fin d'année 1941 autant de Français – ils restent une minorité – ne se sont engagés dans des mouvements de résistance, jamais l'écoute de Radio-Londres n'a été aussi grande, jamais autant de publications clandestines – *Combat*, *Les Cahiers de Témoignage Chrétien* – n'ont été diffusées. Un *Front national* a été créé, un *Comité national des écrivains* regroupe des personnalités aussi différentes que Jacques Decour, Jean Paulhan, François Mauriac. Tous écrivent dans *Les Lettres françaises*.

Des réseaux, des mouvements fusionnent, des personnalités s'imposent, ainsi Henri Frenay.

Les communistes, exaltés par la résistance soviétique aux offensives allemandes, multiplient les attentats.

Presque chaque jour, des officiers et des soldats de la Wehrmacht sont attaqués, abattus.

Le 21 novembre, en plein quartier Latin, à l'angle du boulevard Saint-Michel et de la place de la Sorbonne, la librairie Rive Gauche – créée par les Allemands – est attaquée, en dépit de la garde assurée par des policiers français. Des coups de feu sont échangés, la « vitrine intellectuelle » de la propagande nazie est détruite.

Le lendemain, des bataillons de la Jeunesse communiste attaquent, au 100, avenue du Maine, un hôtel de la Wehrmacht, avec des grenades incendiaires… allemandes.

Quelques jours plus tard, rue de la Convention, le mess des sous-officiers de l'armée allemande est visé. De nombreux militaires allemands sont tués ou blessés.

Une attaque est même lancée contre des camions allemands, qui sont incendiés rue Lafayette. Une véritable bagarre s'engage entre les soldats allemands et les membres de l'Organisation spéciale communiste.

Dans la seule région parisienne, un rapport allemand dénombre, en décembre 1941, deux cent vingt et un attentats.

Le commandant militaire allemand en France, le général von Stülpnagel, le 5 décembre 1941, demande à Berlin, compte tenu de la multiplication des attentats, l'autorisation de faire exécuter cent otages, d'infliger une nouvelle amende de un milliard de francs aux Juifs de Paris, et d'ordonner l'internement et la déportation de mille Juifs et de cinq cents jeunes communistes à l'est de l'Europe.

L'ambassadeur Otto Abetz complète le rapport de von Stülpnagel.

« La radio russe et la radio anglaise soulignent avec ostentation que les auteurs des attentats sont des Français, écrit Abetz. On veut donner l'impression à la population française et au monde que le peuple français se dresse contre les autorités allemandes d'occupation et contre l'idée d'une collaboration avec l'Allemagne... Notre intérêt politique est d'affirmer, même lorsqu'il est prouvé clairement que les auteurs sont des Français, qu'il s'agit exclusivement de Juifs, et d'agents à la solde des espionnages anglo-saxon et russe...

« [...] Dans les communiqués signalant les exécutions, il serait donc bon de ne pas parler de Français et de ne pas parler non plus d'otages mais exclusivement de représailles contre des agents du service d'espionnage anglo-saxons et d'agents russes. »

Et le général von Stülpnagel, annonçant des représailles, précisera :

« Ces mesures ne frappent point le peuple français de France, mais uniquement des individus qui, à la solde des ennemis de l'Allemagne, veulent précipiter la France dans le malheur et qui ont pour but de saboter la réconciliation entre l'Allemagne et la France. »

35.

La réconciliation franco-allemande, c'est le but que s'assigne aussi le maréchal Pétain.

Ce 1er décembre 1941, il est assis aux côtés de son vice-président du Conseil, l'amiral Darlan, dans le train qui le conduit à Saint-Florentin, en Bourgogne, où il doit rencontrer le Reichmarschall Goering.

Pétain veut obtenir, en échange du limogeage du général Weygand, qu'il a accepté, rendu public – et Weygand est ulcéré, plus que jamais antiallemand –, quelques concessions.

Et il a sollicité comme première ouverture la possibilité de rencontrer une haute personnalité militaire allemande.

Rencontre entre Philippe Pétain et Hermann Goering à Saint-Florentin, en compagnie de François Darlan et du Dr Paul Otto Schmidt.

En effet, Pétain reste persuadé qu'« entre soldats » le dialogue est plus franc, plus facile.

Son prestige de vieux maréchal glorieux et respecté l'aidera à obtenir la cessation des exécutions d'otages, le retour des prisonniers, l'assouplissement de la ligne de démarcation.

Et il veut ne rien céder sur la question des bases militaires allemandes en Afrique du Nord.

Pétain a grimacé lorsqu'il a appris qu'il rencontrerait Goering.

Mais on l'a vite convaincu que le chef de la Luftwaffe est le successeur désigné du Führer, Reichmarschall de surcroît.

Goering qui séjourne à Paris depuis plusieurs jours accepte cette tâche que le Führer lui impose.

À Paris, il a fait ses emplettes de fin d'année : tableaux « empruntés » aux musées, achetés dans les galeries d'art, meubles et objets acquis chez les antiquaires, et bijoux chez Cartier.

Et maintenant Pétain, à Saint-Florentin, en Bourgogne, est assis face à Goering.

Ce vieux maréchal à la peau parcheminée est patelin et en même temps arrogant.

Il rappelle ce qu'on lui a promis à Montoire, il y a un peu plus d'un an.

Il argumente, répond à Goering qui se plaint de la faible production agricole française, de l'insuffisance de l'industrie.

« Rendez-nous les 800 000 agriculteurs prisonniers, dit Pétain. Les prélèvements alimentaires de la Wehrmacht en France sont scandaleux. Quoique ses effectifs soient descendus de 2 500 000 à 500 000 hommes, l'armée allemande cantonnée sur notre sol continue de prélever le tiers de la fabrication de conserves de viande et de poisson et des produits alimentaires de toute sorte. »

Goering est indigné.

« Je voudrais bien savoir qui est ici le vainqueur et le vaincu, s'écrie-t-il. Vous me tenez un langage qui est inacceptable, vous me présentez une note que je n'ose même pas transmettre au chancelier...

– Jamais je n'ai plus senti qu'au cours de cette entrevue combien la France a été vaincue », rétorque Pétain.

Il se lève, glisse dans la poche de Goering le « mémorandum » – la note – que le Reichmarschall avait refusé de prendre.

« J'ai confiance, conclut Pétain, dans les destinées de la France, dans son relèvement. Quant à moi, personnellement, sachez bien que pour un homme de mon âge il est une évasion bien facile à réaliser : celle de la vie à la mort. »

Il a quatre-vingt-cinq ans.

Pas de compassion, de pitié, encore moins d'excuses pour ce « vieux » maréchal qui n'est selon de Gaulle que le chef assoiffé de pouvoir d'une entreprise de « trahison » dont le siège est à Vichy.

Parlant à la radio de Londres, ce 3 décembre 1941, de Gaulle est implacable.

« Pour la première fois depuis le premier jour de la guerre, dit-il, les armées allemandes ont reculé. »

Il serre les poings, observé par les quelques Français Libres qui l'écoutent derrière la vitre du studio.

« Vers Moscou, vers Rostov, vers Tobrouk, continue de Gaulle, paraissent les premières lueurs de la victoire, tandis que les États-Unis jettent chaque jour un poids de plus dans le plateau de la balance. »

Il faut dénoncer le secours, dérisoire, mais qui compte cependant, apporté à Hitler par les « hommes de la trahison ». Ceux de Vichy qui, à Dakar, au Gabon, en Syrie, ont fait tirer sur les Français Libres et qui maintenant patronnent cette Légion des volontaires français contre le bolchevisme !

Des Français sous l'uniforme nazi !

Des Français contre les Russes qui défendent leur patrie !

Des Français aux côtés des SS qui ont assassiné des centaines de milliers de Polonais, de prisonniers russes, de Juifs.

« La cause des hommes de Vichy, c'est la trahison. »

De Gaulle le répète, la guerre est à un tournant en ce mois de décembre 1941.

Il faut choisir.

« D'un côté, la France livrée, pillée, bâillonnée, qui ne veut rien que la victoire et par la victoire la vengeance.

« De l'autre, les traîtres qui la démembrent physiquement et moralement pour nourrir l'ennemi de ce qu'ils peuvent lui arracher. »

De Gaulle s'écrie :

« La France avec nous ! »

Il revoit Jean Moulin. Il l'observe, écoute cet homme de quarante-deux ans qui poursuit avec la détermination d'un homme jeune son entraînement de parachutiste afin d'être largué sur la France au plus tôt.

Ils partagent les mêmes convictions.

« Notre principe est de refaire l'unité française dans la guerre, c'est une nécessité absolue. »

Il faut que la France soit au premier rang.

Déjà, le Comité national de la France Libre est reconnu par l'URSS et par la Grande-Bretagne. Il faut aller plus loin. Il faut faire cesser les équivoques. Les États-Unis, le Canada ont encore des ambassadeurs à Vichy.

On entend ici, à Londres, des ministres anglais faire l'éloge du général Weygand, et même montrer de la compréhension pour Pétain !

Ne mesurent-ils pas les souffrances infligées à la France par la collaboration entre Vichy et le nazisme ?

Le 25 novembre 1941, de Gaulle s'adresse aux étudiants d'Oxford. Il est l'hôte du cercle français de l'université où, dit-il, plus qu'ailleurs « souffle l'esprit ».

Il veut analyser le nazisme qui n'est pas seulement le produit de l'histoire allemande, mais aussi celui d'une « crise de civilisation ».

Il met en cause la « transformation des conditions de la vie par la machine, l'agrégation croissante des masses et le gigantesque conformisme collectif qui en sont les consé-quences et qui battent en brèche les libertés de chacun ».

Il faut que le « parti de la libération » suscite un ordre où la liberté, la sécurité, la dignité de chacun soient exaltées.

On se dresse pour l'applaudir à tout rompre.

C'est le premier des grands acteurs politiques de cette guerre à tenter d'aller à la racine, de dépasser l'explication par les circonstances, d'évoquer une « crise de civilisation » et la nécessité, au-delà de la lutte politique, de créer les conditions d'une « libération de l'homme » face à la « machine ».

Peut-être a-t-il été influencé par cette lettre reçue quelques jours avant.

Elle est écrite par Jacques Maritain, le philosophe catho-lique qui s'est réfugié à New York et qui apporte son soutien à la France Libre.

« Je pense, écrit Maritain, que la mission immense de la Provi-dence dévolue au mouvement dont vous êtes le chef est de donner au peuple français, dans la conjoncture historique inouïe

Jacques Maritain.

que lui apporteront, après une infortune et une humiliation sans précédent, la victoire sur l'ennemi et la liquidation de toutes les forces qui ont fait et font son malheur, une chance de réconcilier enfin, dans sa vie elle-même, le christianisme et la liberté. »

De Gaulle est ému, bouleversé aussi par ce qu'il sait de ces exécutions d'otages, du courage de ces hommes qui meurent en chantant *La Marseillaise*.

Il décerne la croix de la Libération à Nantes « pour le sang de ses enfants martyrs ».

Il évoque ces veuves de la ville de Lens dont les maris ont été tués par un bombardement de la Royal Air Force sur l'usine où ils travaillaient.

Après avoir enterré leurs époux, ces femmes d'ouvriers ont conduit en terre, au premier rang de la foule, les aviateurs anglais abattus lors du raid.

Femmes en deuil, femmes de France, héroïques !

Comme le sont ces jeunes gens qui bravent tous les dangers et qui chaque jour plus nombreux réussissent à atteindre les côtes anglaises afin de s'engager dans les Forces françaises libres.

Et il y a ceux que traquent la police de Vichy et la Gestapo.

De Gaulle répète que « l'issue de cet atroce combat ne fait pas de doute : c'est la France qui comme toujours l'emportera sur la trahison. Mais malheur à ceux qui n'auront pas osé choisir ! ».

QUATRIÈME PARTIE

6-13 décembre 1941

« *Si nous voulons faire la guerre à l'Amérique, notre seule chance de vaincre sera de détruire la flotte américaine dans les eaux de Hawaii.* »
Amiral YAMAMOTO, commandant de toutes les forces navales japonaises
Janvier 1941

« *Nous, chefs d'État, avons le devoir sacré de restaurer l'amitié traditionnelle entre nos deux pays.* »
Président ROOSEVELT
à l'empereur du Japon HIROHITO
6 décembre 1941

« *Nous voilà tous dans le même bateau.* »
ROOSEVELT à CHURCHILL
7 décembre 1941

« *7 décembre 1941, ce jour qui restera à jamais gravé du sceau de l'infamie.* »
ROOSEVELT
7 décembre 1941

« *Les États-Unis étaient en guerre jusqu'au cou et jusqu'à la mort... Nous aurions encore à connaître bien des désastres, à subir bien des pertes et des tribulations, mais désormais l'issue du combat ne faisait plus de doute !* »
CHURCHILL
in *The Grand Alliance*

36.

Hourra !

En avant !

C'est le cri que poussent les dizaines de milliers de soldats russes, à l'aube de ce samedi 6 décembre 1941, en s'élançant à l'assaut sur le front central afin de repousser les divisions allemandes loin de Moscou.

Le général Georgi Joukov qui, depuis six semaines, commande ce front central, jette dans cette contre-offensive sept armées et deux corps de cavalerie, en tout, cent divisions.

Certaines de ces troupes arrivent de Sibérie, toutes sont équipées de courtes vestes molletonnées, de vestes de fourrure, de bottes fourrées, de casquettes de fourrure à oreillettes. Une artillerie puissante les soutient. Les T34 accompagnent ces fantassins.

Sur un front long de 830 kilomètres, l'assaut surprend les troupes allemandes qui se replient, harcelées par des unités de skieurs, de chars, de cavaliers mobiles, inspirées de la tactique des cosaques qui, en 1812, avaient attaqué sans répit la Grande Armée de Napoléon.

La panique saisit certaines unités allemandes.

« Nous nous demandions, écrit le lieutenant von Kageneck, combien de temps encore cela allait durer, ces hordes incessantes d'hommes qui déferlaient sur nous au coude à coude, en hurlant, qui ramassaient les armes de ceux qui étaient tombés et qui s'arrêtaient parfois seulement à 5 ou 10 mètres de nos lignes. »

D'autres soldats de la Wehrmacht s'accrochent au terrain. Mais on doit faire sauter le sol gelé à l'explosif pour pouvoir y creuser une tranchée, un abri.

On résiste, dans des conditions infernales.

On ne peut ni se laver ni se changer. Les hommes sont sales et couverts de vermine.

« Tous grouillent de poux, sont harcelés de démangeaisons et se grattent constamment, beaucoup ont des plaies purulentes, d'autres souffrent d'infection de la vessie et des intestins à force d'être couchés sur le sol gelé. »

Isoroku Yamamoto.

Les vagues d'assaut russes paraissent inépuisables.

Staline sait qu'il peut puiser dans les troupes cantonnées en Sibérie, puisque son espion à Tokyo, Richard Sorge, dans un rapport envoyé peu avant son arrestation du 18 octobre 1941, l'a assuré que les militaires japonais n'ont pas l'intention d'attaquer l'URSS.

L'amiral Yamamoto, commandant toutes les forces navales japonaises, a, dans un document du mois de janvier 1941, expliqué : « Si nous voulons faire la guerre à l'Amérique, notre seule chance de vaincre sera de détruire la flotte américaine dans les eaux de Hawaii. »

Et cela suppose une politique de non-agression à l'égard de la Russie.

Staline a donc ordonné que 400 000 soldats expérimentés, 1 000 blindés et 1 000 avions quittent la Sibérie pour le front central qui défend Moscou.

Le général von Bock est surpris par ce déferlement de nouvelles divisions russes. Il évoque le « dévouement fanatique de ces inépuisables masses humaines ».

Du général au *feldwebel*, le moral allemand s'effondre.

« Je suis assis dans une tranchée avec mes camarades, dans l'obscurité, écrit le caporal Klois Scheuer. Tu ne peux pas imaginer à quel point nous avons l'air crasseux et fou, et à quel point cette vie est devenue un tourment pour moi. On ne peut plus la décrire avec des mots. Je n'ai plus qu'une pensée : quand sortirai-je de cet enfer ? Ce à quoi je dois participer ici a été et est encore trop pour moi. Cela nous détruit lentement... »

Les Russes avancent sur l'ensemble du front.

Là, au nord de Moscou, leur progression est de 300 kilomètres.

Au sud, ils reprennent Rostov, et au centre ils dégagent Toula, Volokolamsk.

Mais face à Moscou, les Allemands s'accrochent, tiennent à moins de 120 kilomètres de la ville.

Selon le général Heinrici, « la retraite dans la glace et la neige est absolument napoléonienne dans sa manière. Les pertes sont équivalentes ».

Les Russes, « dotés d'un équipement d'hiver fabuleux, s'engouffrent partout dans les brèches béantes qui se sont ouvertes dans notre front.

« Même si nous avons vu arriver le désastre de l'encerclement, la hiérarchie nous intime l'ordre de nous arrêter ».

Mais résister équivaut à un suicide.

Il faut pourtant tenir coûte que coûte, « *Haltbefehl* », a dit Hitler.

Dans le secteur de Kalinine, au nord de Moscou, huit cents soldats allemands ont pour mission d'arrêter trois régiments de Sibériens appuyés par une artillerie qui ne cesse de bombarder les positions de la Wehrmacht.

On se bat par une température de moins 30 degrés !

On recule, on abandonne les véhicules. Les armes sont gelées. La peau est cisaillée par le blizzard. Si on touche une arme à doigts nus, la peau reste collée au métal.

« L'ennemi est sur nos talons, nous reculons avec l'angoisse de réussir à mettre les hommes en sécurité à temps, de transporter les blessés, de ne pas laisser trop d'armes et trop d'équipement entre les mains de l'ennemi. Tout cela est extrêmement pénible pour les hommes et leurs chefs. »

Les pertes allemandes, à la date du 10 décembre 1941, s'élèvent pour cinq mois de combat à 775 078 hommes, soit 24,22 % des effectifs engagés sur le front de l'Est qui comprenaient 3 200 000 hommes. Cela représente 200 000 morts dont 8 000 officiers ! La campagne de 1940, des Pays-Bas à la France, avait coûté 30 000 morts.

Hitler exige que « la volonté fanatique de défendre le terrain sur lequel les troupes sont stationnées soit insufflée aux soldats par tous les moyens, même les plus sévères ».

Le Führer veut éviter « une retraite de Napoléon » et son ordre de résister, de tenir les positions, a une vertu, il est clair : on se fait tuer sur place mais on ne recule plus, « Haltbefehl ».

Et le combat acharné, l'action même suicidaire permet au moral de se redresser.

Comme les Russes manquent de munitions, de transports motorisés – on utilise des centaines de traîneaux à chevaux –, le front se stabilise.

À la mi-décembre, l'armée Rouge a presque partout avancé de 25 à 60 kilomètres.

Le 13 décembre 1941, les journaux russes publient un communiqué qui annonce que les Allemands n'ont pas réussi à encercler Moscou, et qu'ils ont été contraints de reculer.

La bataille de Moscou est gagnée.

Dans Volokolamsk libéré, les soldats russes découvrent sur la place un gibet avec huit pendus : sept hommes et une femme. Des partisans exécutés en public.

Quelques corps dans cet amoncellement de cadavres qu'est la guerre.

Et elle vient de s'étendre, devenant d'un seul coup un conflit embrasant toute la Terre.

37.

C'était en février 1941. Il y a dix mois.

Ribbentrop, le ministre des Affaires étrangères de Hitler, reçoit dans le grand salon de la Wilhelmstrasse l'ambassadeur japonais en Allemagne, Oshima.

Les deux hommes s'observent tout en évoquant la situation internationale.

On évite de parler de la Russie communiste, du pacte anti-Komintern signé par le Japon avec l'Italie fasciste et l'Allemagne en 1936.

Ribbentrop accueillant Oshima.

Ribbentrop laisse entendre que le Führer songe à étendre l'espace vital du Reich vers l'est, et qu'il accepte le risque d'une guerre avec la Russie.

Oshima évoque la guerre que le Japon conduit en Chine depuis 1931.

« Il y a dix ans déjà. »

Il ne dit rien de ce qui se trame dans les états-majors japonais.

On envisage d'attaquer les États-Unis en frappant la marine américaine qui a regroupé la plupart de ses navires dans les îles Hawaii, à Pearl Harbor.

Mais Oshima sait que les nazis redoutent une attaque japonaise contre les États-Unis, qui ferait de ces derniers, déjà alliés de la Grande-Bretagne, un adversaire puissant, l'usine de guerre du monde antiallemand.

Les services secrets allemands ont appris que Churchill et Roosevelt, lors de leur dernière rencontre en janvier 1941, sont convenus de considérer, si les États-Unis entrent dans la guerre, l'Allemagne comme leur ennemi principal, le Japon venant après.

Ribbentrop, sans rapporter cet accord Roosevelt-Churchill, insiste pour que le Japon, au lieu d'envisager une guerre contre les États-Unis, les laisse s'engourdir dans leur neutralité et songe plutôt à attaquer l'Empire britannique affaibli.

Et ces attaques dissuaderaient les États-Unis d'entrer dans la guerre.

« Le Reich et le Japon sont sur le même navire, conclut Ribbentrop. Une défaite allemande signifierait aussi la fin de l'idée impériale japonaise. L'intérêt du Japon est de s'assurer pendant la guerre les positions qu'il souhaite avoir à la conclusion de la paix. »

La paix ?

Les élites japonaises, rassemblées dans la Société des fondements du pays, la *Kokuhonsha*, pensent que le Japon a une mission spéciale en Asie et que tout ce qui s'oppose à cette mission doit être brisé par la force.

En 1904, le Japon avait envoyé par le fond la flotte russe et vaincu l'empire des tsars.

En 1941, les États-Unis s'opposent aux ambitions japonaises.

Si l'on détruit leur flotte, comme on a détruit la flotte russe, les États-Unis laisseront l'expansion japonaise se déployer en Asie du Sud-Est.

Le samedi 6 décembre 1941 – le jour où Joukov déclenche la contre-offensive russe devant Moscou – le président Roosevelt écrit à l'empereur du Japon, Hirohito :

« Nous, chefs d'État, avons le devoir sacré de restaurer l'amitié traditionnelle entre nos deux pays. »

Mais ce même 6 décembre 1941, les avions japonais embarqués à bord des porte-avions de la flotte impériale s'apprêtent à décoller pour aller bombarder la flotte américaine ancrée dans la rade de Pearl Harbor, dans les îles Hawaii.

38.

« Quel magnifique spectacle ! » s'exclama le général Short, commandant la garnison de Pearl Harbor. Dans cette nuit du samedi 6 décembre 1941, il regardait, depuis la terrasse du club des officiers, les quatre-vingt-seize navires ancrés dans la rade. Ils étaient pour la plupart illuminés. Les huit cuirassés, souvent amarrés à un autre navire, formaient une allée majestueuse le long de l'île Ford, au centre de la rade. Les feux de position, les lumières accrochées à la tête des mâts, les hublots éclairaient les hangars, les réservoirs de mazout, les bassins, les grues de ces masses d'acier, le cœur de la flotte américaine du Pacifique. Il éprouva un sentiment de puissance.

À Pearl Harbor, dans cette île d'Oahu, le joyau de Hawaii, territoire des États-Unis depuis la fin du XIXe siècle, au milieu du Pacifique, à 3 500 kilomètres de Los Angeles, à 5 500 kilomètres du Japon et à 7 000 kilomètres de l'Australie, l'Amérique affirmait sa force. Chaque cuirassé portait le nom d'un État : *Arizona*, *Oklahoma*, *California*, *West Virginia*, *Maryland*, *Nevada*, *Pennsylvania*, *Tennessee*. Ne manquaient à la flotte que deux porte-avions, le *Lexington* et l'*Enterprise* qui étaient en mer, transportant des avions aux îles de Wake et de Midway, ces autres points d'appui américains dans le Pacifique. Avec l'île de Guam, ils étaient les avant-postes des États-Unis face au Japon de l'empereur

Hirohito, qui, depuis 1937, faisait la guerre à la Chine et rêvait d'étendre son empire.

L'amiral Kimmel, qui commandait la flotte, avait voulu que tous les cuirassés soient rassemblés à Pearl Harbor ce week-end, puisque les porte-avions ne pouvaient assurer leur protection.

Le général Short fit quelques pas. La nuit était d'une douceur estivale. Au-dessus d'Honolulu – situé à quelques kilomètres à l'ouest de Pearl – le ciel était irisé par les lumières des deux tours jumelles, le Royal Hawaiian Hotel et le Elk's Club, qui dominaient la ville. La brise apportait par moments des bouffées d'air de musique de danse. En cette nuit du samedi au dimanche, tous les bars étaient pleins de permissionnaires. On dansait aussi dans les clubs, les cercles d'officiers, sur les bases aériennes de Hickam et Wheeler, dans les forts, à Schofiel Barracks et Fort Shafter.

Le général Short se tourna vers le nord, vers ces collines sombres qui fermaient la baie. Là, les lumières joyeuses de la côte n'entamaient pas l'obscurité de la nuit sans lune. Et Short ressentit une angoisse sourde. C'était ainsi depuis qu'il commandait les vingt-cinq mille hommes de la garnison de l'île. Était-ce la présence dans la population de cent cinquante mille civils d'origine japonaise ? Et de combien d'espions ? deux cents ? Ou bien était-ce cette tension qui, depuis plusieurs mois – alors que les armées de Hitler étaient devant Moscou –, montait face au Japon, l'allié de l'Allemagne ?

À la suite de l'occupation par les Japonais de l'Indochine française, le président Roosevelt avait bloqué les avoirs japonais aux États-Unis, interdit les exportations de métaux et de pétrole vers le Japon. Aujourd'hui même, samedi 6 décembre, Roosevelt avait adressé un message à Hirohito : « Nous, chefs d'État, avons le devoir sacré de restaurer l'amitié traditionnelle entre les deux pays. » Était-ce possible, alors que le Japon avait une volonté d'expansion en Asie vers Singapour, la Malaisie, les Philippines, les Indes néerlandaises (Indonésie), et qu'il ne pouvait le faire sans pétrole ? Le Japon n'avait pas six mois de réserves et seulement un mois d'autonomie de carburant pour sa flotte ! Alors la guerre ? Des négociations étaient en cours à Washington. On attendait des propositions japonaises pour le début décembre. Mais les Américains, qui avaient réussi à « casser » les codes secrets japonais, pressentaient une volonté de rupture, la préparation d'une attaque, sans doute contre les bases américaines des Philippines.

Le général Short ignorait ces informations. Il était entré dans la grande salle du Cercle des officiers. On y dansait avec insouciance. « Ici, à Hawaii, dit-il en s'asseyant à l'une des tables où se trouvaient d'autres officiers et leurs épouses, nous vivons dans une citadelle, une île puissamment fortifiée. » Il pensa aux navires illuminés, au halo de lumière au-dessus de Pearl Harbor et d'Honolulu. « Quel magnifique spectacle, dit-il de nouveau, en montrant la baie (puis, plus bas :) Quelle belle cible ! »

Ces lumières de Pearl Harbor et d'Honolulu, celles des cuirassés, le commandant Hashimoto, dans le kiosque du sous-marin I.24, les regardait, fasciné. Il avait fait surface au large de l'île. Il guettait. À 500 kilomètres de là, une flotte japonaise de trente-deux navires était rassemblée. Ils avaient quitté la baie de Tankan, dans les îles Kouriles, le 26 novembre, parcouru dans les brouillards et la mer agitée la route du nord Pacifique, tous feux éteints, sans être repérés. Dans quelques heures, à 6 heures, ce dimanche 7 décembre, la première vague de bombardiers quitterait les six porte-avions. Puis une seconde vague, une heure plus tard. En tout, trois cent cinquante avions.

L'amiral Yamamoto – le commandant de toutes les forces navales japonaises – avait conçu ce plan d'attaque de Pearl Harbor, dès le mois de janvier 1941. « Si nous voulons faire la guerre à l'Amérique, avait-il dit, notre seule chance de vaincre serait de détruire la flotte américaine dans les eaux de Hawaii. » Comme l'amiral Togo avait coulé, en 1904, la flotte russe à Port-Arthur. Il n'y avait pas d'autre solution qu'une attaque-surprise. Roosevelt étranglait le Japon avec son embargo. Sa flotte menaçait le flanc de la progression japonaise vers l'Asie du Sud. *Banzaï !* Attaque ! « Il faut surprendre leur marine dans son sommeil », avait ajouté l'amiral Nagumo qui, à bord du porte-avions *Akagi*, dirigeait l'escadre. On continuerait de négocier à Washington jusqu'à l'heure de l'attaque préparée en secret durant des mois. Les bombardiers, en piqué, surgiraient à l'aube du dimanche 7 décembre quand tous ces équipages américains seraient à terre ou cuveraient leur alcool. Puis, après l'assaut, les avions rejoindraient les porte-avions qui auraient contourné Hawaii et attendraient les pilotes à 200 kilomètres de l'île. Ce dispositif d'attaque « d'inégale distance » entre l'aller et le retour devrait achever de désorienter les Américains s'ils voulaient repérer la flotte.

Aviateurs japonais peu de temps avant le bombardement de Pearl Harbor.

Les pilotes avaient prié avant de décoller, bu du saké, entouré leur front du bandeau du guerrier, le *hashmaki* blanc. Les vingt-sept sous-marins disposés autour de l'île devaient couler tous les bateaux qui tenteraient d'échapper à la rade. Certains d'entre ces sous-marins avaient accroché sur le pont de petits submersibles de poche qui, guidés par deux hommes, devaient pénétrer dans le port. Celui qui était arrimé au I.24 était commandé par le jeune enseigne Saka-maki qui se présenta au commandant Hashimoto vêtu d'un slip et d'un blouson de cuir, sa tenue de combat. Il portait le bandeau blanc. Sakamaki s'inclina. C'était l'heure de la séparation des deux bâtiments.

C'est peu après, à 3 h 42, ce dimanche 7 décembre 1941, que l'enseigne de vaisseau Mc Coye, à bord du dragueur de mines *Condor*, aperçoit, à 50 mètres, un sillage laissé par un périscope de sous-marin. Il lance un message optique au contre-torpilleur *Ward*. Le capitaine Outerbridge, qui commande le *Ward*, craint d'abord qu'il ne s'agisse d'un bâtiment américain en manœuvre, mais il décide de bombarder le sous-marin : « Nous avons attaqué, fait feu et lâché des grenades sous-marines contre un sous-marin opérant dans la zone militarisée », câble-t-il.

Il est déjà 6 h 55, bientôt 7 heures, l'heure du petit déjeuner sur les navires, dans les réfectoires des bases aériennes. Les hommes de service traînent. C'est dimanche. Il fait encore plus beau que d'habitude. Les permissionnaires se préparent à quitter les navires, après le lever des couleurs à 8 heures, souvent en présence de la fanfare assemblée sur la plage arrière des cuirassés.

À 7 h 02, dans le poste de radar d'Opana, le plus au nord de l'île, les soldats Lockhard et Elliott attendent le camion qui apporte le petit déjeuner. Il est en retard. Ils regardent machinalement l'écran radar. Ils sont stupéfaits. Il semble qu'un vol massif d'avions se dirige vers l'île. Les appareils se rapprochent à grande vitesse. Elliott communique au centre d'information de Fort Shafter : « Un grand nombre d'avions fonce vers nous, venant du nord, 3 degrés est. »

Il est 7 h 10. Le lieutenant Tyler qui reçoit le message n'occupe ce poste que depuis quatre jours. « Ne vous en faites donc pas, dit-il, il ne peut s'agir que d'avions amis, sans doute les forteresses volantes B-17 qui doivent arriver ce dimanche de Californie. » Elliott, pourtant, reste devant les écrans radars. Les avions progressent. Ils sont 183 et constituent la première vague d'attaque japonaise qui a quitté les porte-avions à 6 heures.

À 7 h 15, la deuxième vague de 168 avions décolle. Peu après, Elliott « perd » ses avions sur les écrans radars. Les appareils qui contournent l'île sont dans l'ombre des collines qui les masquent. Il est 7 h 35. À cet instant, le commandant Fushida, qui dirige la vague d'assaut, aperçoit à travers les nuages blancs la côte d'Oahu et, bientôt, tous les navires, les hangars, les avions alignés en rangs serrés sur les pistes. Il manque les porte-avions, mais l'essentiel de la flotte américaine du Pacifique est là. Le commandant Fushida regarde autour de lui les bombardiers-torpilleurs en piqué qui volent en formation et, au-dessus, les bombardiers « horizontaux » qui lâcheront leurs bombes après les torpilles.

Il est 7 h 49. Fushida donne l'ordre d'attaque. Il commence son piqué jusqu'au ras des flots. Il va lancer sa première torpille contre ces navires sur le pont desquels il aperçoit les marins en tenue blanche qui s'alignent pour le salut aux couleurs. Les instruments des fanfares brillent dans le soleil. Rien ne peut plus protéger cette flotte américaine ! Fushida, avant même d'avoir attaqué, envoie à l'amiral Nagumo le message de victoire : « Tora, Tora, Tora ! » Il est 7 h 53, ce dimanche 7 décembre 1941. Une guerre commence.

Durant plusieurs minutes, personne à Pearl Harbor ne l'imagine. Le contre-amiral Furlong, qui prend son petit déjeuner à bord du mouilleur de mines *Oglala*, s'écrie en voyant tomber une bombe près du navire : « Quel est ce pilote stupide qui a mal fixé son dispositif de bombarde-ment ? »

Le général Short, en entendant les premières explosions, est persuadé qu'il s'agit de manœuvres de la marine et, natu-rellement, l'amiral Kimmel ne l'a pas averti. Un marin du *California* commente le passage des chasseurs japonais Zero : « Il doit y avoir un porte-avions russe qui nous rend visite. J'ai vu nettement les cercles rouges sous les ailes. » Et il assure que l'un des pilotes l'a salué d'un geste de la main. Les musiciens et les permissionnaires sur les ponts restent immobiles, tant la surprise est grande d'entendre les premières explosions, de voir les réserves de mazout exploser, une fumée tourbillonnante et noire envahir le ciel. Ils ne saisissent le danger qu'au moment où tombent près d'eux les premiers tués. Les flammes s'élèvent. Les navires s'embrasent. L'huile enflammée se répand sur la mer. Les détonations ébranlent toute l'île Ford.

L'attaque japonaise de Pearl Harbor.

Les cuirassés disparaissent dans les volutes noirâtres cependant qu'on entend le haut-parleur de l'*Oklahoma* répéter : « Des vrais avions, des vraies bombes, ce n'est pas un exercice. » À 7 h 58, un message non codé est envoyé à toutes les unités et à Washington : « Attaque aérienne sur Pearl Harbor. Ceci n'est pas un exercice. » L'amiral Kimmel, du haut de la colline qui domine la rade, regarde, paralysé, debout dans la pelouse de sa villa. Son visage est blanc comme son uniforme. Près de lui, une femme d'officier murmure : « On dirait qu'ils ont eu l'*Oklahoma*. – Oui, c'est ce que je vois », répond l'amiral.

En quelques minutes, c'est l'enfer pour des milliers d'hommes. L'*Arizona* explose – plus de mille hommes disparaissent. L'*Oklahoma* et le *Nevada* se retournent et des centaines d'hommes restent enfermés dans les coques cependant que d'autres tentent d'échapper aux flammes qui dévorent la mer huileuse. Les ponts sont brûlants. Les soutes explosent. Les avions alignés sur les terrains de Hickam et Wheeler sont mitraillés, incendiés. Les chasseurs japonais passent et repassent, poursuivent les hommes isolés.

On court, on se jette à terre puis on se redresse, on tire avec toutes sortes d'armes, du revolver au fusil de chasse, de la mitrailleuse au canon. Un marin, Walter, pour protéger le *Pennsylvania* en cale sèche, fait rouler sa grue d'avant en arrière pour gêner les avions qui passent en rase-mottes tentant d'atteindre le cuirassé. Tout ce qui vole est ennemi. Des P40 de l'*Enterprise* et les forteresses B-17 qui arrivent de Californie sont pris pour cibles quand ils veulent se poser.

C'est le désordre général avec des actes individuels d'héroïsme. Les permissionnaires veulent regagner leurs navires qui ont disparu et voici qu'arrive la seconde vague japonaise qui parachève le désastre (8 cuirassés coulés ou gravement endommagés ainsi que 3 croiseurs légers, 3 destroyers,

4 navires auxiliaires, 188 avions détruits et près de 4 000 morts et blessés).

Les Japonais n'ont perdu que 29 appareils et leurs 5 sous-marins de poche. Sur une plage, on découvre le corps inanimé de l'enseigne Sakamaki : le premier prisonnier japonais.

Dans tous les États-Unis, les radios interrompent leurs programmes. Les journaux sortent des éditions spéciales : « Les Japs attaquent ! » « War ». Le monde bascule puisque l'Amérique entre dans la guerre, qui devient mondiale.

« Nous devons faire face à la grande tâche qui est devant nous en abandonnant immédiatement et pour toujours l'illusion que nous pourrions nous isoler du reste du monde », déclare Roosevelt.

Tout le peuple, toute la classe politique se rassemblent autour du président. Même si certains se demandent s'il n'a pas manœuvré machiavéliquement pour que les Japonais attaquent Pearl Harbor – la flotte servant d'appât – et fassent ainsi basculer dans la guerre un pays réticent et divisé.

Mais l'heure n'est pas aux questions et aux critiques. Il faut faire face. Des matelots sont enfermés dans leur cercueil d'acier.

Tout le monde applaudit Roosevelt quand il arrive au Congrès, appuyé au bras de son fils en uniforme, et qu'il lance de la tribune d'une voix forte et résolue : « Hier, 7 décembre 1941, ce jour qui restera à jamais marqué du sceau de l'infamie. »

39.

Ce dimanche 7 décembre 1941, « jour d'infamie », Winston Churchill séjourne aux *Chequers*, la résidence de week-end du Premier Ministre.

Il a travaillé avec le chef d'état-major, suivi, message après message, le développement de la contre-offensive russe, interrogé l'ambassadeur britannique à Moscou, porté des toasts à ce général Joukov, houspillé les généraux britanniques qui, en Cyrénaïque, face à Rommel, ne sont pas assez audacieux. Il a bu, fumé. Il a comme toujours irrité le chef d'état-major impérial, le général Alan Brooke.

Mais Churchill se mêle de tout, en dépit des mines scandalisées des généraux.

On dit de lui qu'il « colle ses doigts dans chaque gâteau avant qu'il ne soit cuit ».

Le général Brook ne cesse de répéter :

« À coup sûr, de tous les hommes que j'ai rencontrés, c'est le plus difficile avec qui travailler, mais pour rien au monde je ne manquerais cette chance de travailler avec lui. »

Et c'est cela l'essentiel.

« À la guerre, a l'habitude de dire Churchill, ce qui compte ce n'est pas d'être gentil et de plaire, c'est d'avoir raison ! »

À la fin de ce dimanche 7 décembre 1941, on apporte un message en provenance de Washington : la base navale de

Pearl Harbor a été attaquée par l'aviation et des sous-marins japonais.

Churchill bondit. Il doit parler aussitôt avec Roosevelt, obtenir confirmation, car cette attaque va faire basculer les États-Unis dans la guerre, changer ainsi le cours des choses, l'ordre du monde.

En attendant qu'on établisse la communication, il ne peut rester en place, analyse déjà les conséquences de l'événement, s'interrompt, et dit :

« Aucun amant ne s'est jamais penché avec autant d'attention sur les caprices de sa maîtresse que je ne l'ai fait moi-même sur ceux de Franklin Roosevelt. »

Il sait qu'on prête à Roosevelt le mot :

« Winston a cent idées par jour, dont trois ou quatre sont bonnes, les mauvaises langues ajoutant : le malheur, c'est qu'il ne sait pas lesquelles. »

Churchill hausse les épaules, s'impatiente. Il veut établir avec les États-Unis entrés dans la guerre une « *special relationship* », une Grande Alliance étendue à Staline, même si l'on dit se méfier de lui. Mais ce sont les Russes qui tuent 95 % des Allemands. On ne peut pas l'oublier.

Il se précipite vers le téléphone qu'on lui tend.

Roosevelt confirme l'attaque de Pearl Harbor et conclut :

« Nous voilà tous dans le même bateau ! »

Enfin !

Churchill jubile.

« Avoir les États-Unis à nos côtés fut pour moi une joie insigne », dit-il.

Il ne peut prédire le cours des événements, prendre la mesure de la force japonaise, mais l'essentiel était l'entrée dans la guerre des États-Unis.

« Ils y sont jusqu'au cou et jusqu'à la mort ! »

Personne ne peut dire combien dureront les hostilités et la manière dont elles se termineront, mais l'issue du combat ne fait plus de doute.

« Nous ne serons pas anéantis, notre histoire ne s'achèvera pas. Nous n'aurons peut-être même pas à mourir en tant qu'individus. Le destin de Hitler est scellé. Le destin de Mussolini est scellé. Quant aux Japonais, ils vont être réduits en poussière. »

Et lui, Churchill, sera le pivot de cette Grande Alliance, le *Warlord* de cette *special relationship* !

Il ne peut interrompre, ou modérer, le tourbillon de ses pensées. L'idée même de s'endormir lui fait horreur. Le temps n'est pas au sommeil.

« Winston est un autre homme depuis que l'Amérique est entrée en guerre, dit son médecin qui l'observe. C'est comme si, en un tournemain, il avait été remplacé par quelqu'un de plus jeune. »

Mais Churchill n'est pas homme à se contempler. Il agit. Il ordonne qu'on prépare son déplacement aux États-Unis. Il doit rencontrer Roosevelt, lui rappeler l'accord intervenu en janvier 1941 et qui fait de l'Allemagne l'ennemi principal.

Winston Churchill à bord du *Duke of York*.

Or, frappés à Pearl Harbor, les États-Unis vont être tentés de faire du Pacifique, de l'Asie, le centre majeur de leur stratégie.

Or, le cœur, selon Churchill, doit être l'Europe.

Il se rendra donc aux États-Unis à bord du cuirassé *Duke of York* qui appareillera le 12 décembre 1941.

Il va rappeler à Roosevelt que le but premier de la Grande Alliance, c'est la destruction de l'Allemagne de Hitler.

Après viendra le tour du Japon.

40.

Hitler, ce dimanche 7 décembre 1941, écoute l'un de ses aides de camp lui relire le message qui annonce l'attaque japonaise sur Pearl Harbor.

Il reste immobile, enfoncé dans ce canapé qui occupe toute une cloison de l'une des salles du grand quartier général du Führer situé au cœur de la forêt de la Prusse-Orientale.

Tout à coup, le Führer se lève, commence à aller et venir dans la salle, au centre de laquelle, sur une large table, des cartes sont déployées.

Il annonce qu'il rentrera à Berlin, demain ou après-demain. Et, d'un geste, il demande qu'on convoque ici Ribbentrop.

C'est le ministre des Affaires étrangères qui, le 23 novembre 1941, il y a donc à peine plus d'une semaine, a déclaré à l'ambassadeur japonais à Berlin, Oshima :

« Ainsi que vient de le rappeler le Führer, les droits à l'existence de l'Allemagne, du Japon et des États-Unis présentent des différences fondamentales. Nous savons aujourd'hui de façon certaine qu'en raison de l'attitude intransigeante des États-Unis, les négociations en cours entre Tokyo et Washington ne peuvent aboutir qu'à un échec.

« Si le Japon accepte de combattre la Grande-Bretagne et les États-Unis, j'ai la certitude que cette décision lui sera favorable tout autant qu'à l'Allemagne. »

Et pour que l'ambassadeur japonais n'ait aucun doute sur l'engagement du Reich, Ribbentrop précise après avoir sollicité l'accord de Hitler :

« Si le Japon déclare la guerre aux États-Unis, l'Allemagne fera de même instantanément. En de telles circonstances, il ne peut être question de négocier une paix séparée. Le Führer est formel sur ce point. »

Mais il faut préparer l'opinion allemande, et aussi l'opinion américaine, où Hitler sait qu'il existe un fort courant hostile à l'entrée en guerre.

Un diplomate longtemps en poste à Washington – Hans Dieckhoff – prépare un mémorandum.

« On doit souligner, insiste-t-il, que le vrai danger que court l'Amérique s'appelle Roosevelt. Il faut mettre l'accent sur l'influence des Juifs à la Maison Blanche, nommément Frankfurte, Baruch, Cohen, Morgenthau.

« Le slogan de toutes les mères américaines doit être : "Mourir pour l'Angleterre ? Non, mon fils a mieux à faire." »

La déclaration de guerre pourrait intervenir le 11 décembre, après un discours du Führer au Reichstag.

D'ici là que Goebbels rappelle que des navires allemands ont été attaqués par des destroyers américains, que les États-Unis se sont installés en Islande, qu'ils approvisionnent la Grande-Bretagne et la Russie de Staline.

Il faut écrire, faire écrire que « Roosevelt est l'homme qui pour dissimuler l'échec du *New Deal* a provoqué la guerre. L'homme qui, soutenu par les Juifs et les milliardaires, porte la responsabilité de la Seconde Guerre mondiale ».

Hitler, tout au long de la soirée du 7 décembre 1941, entouré de quelques familiers (Bormann, Ribbentrop qui vient d'arriver au grand quartier général, cette *Tanière du Loup – Wolfschanze*), parle d'une voix exaltée.

« Les Américains n'ont pas d'avenir, dit-il. L'Amérique est un pays pourri. Le problème racial et les inégalités sociales y sévissent. »

Tout son visage se crispe.

« L'Amérique ne m'inspire que de l'aversion et le plus profond dégoût… Mi-enjuivée, mi-négrifiée, voilà la société américaine, tout son comportement vient de là : comment espérer qu'une telle nation, un tel État où tout est construit sur le dollar puisse tenir debout ? »

Ribbentrop s'éloigne.

Il va sur ordre du Führer téléphoner à Ciano, le ministre des Affaires étrangères italien, pour l'informer de la prochaine déclaration de guerre aux États-Unis. Ciano note dans son journal :

« Cette nuit, appel téléphonique de Ribbentrop. Il est ravi de l'attaque japonaise. Tellement ravi que je n'ai pu m'abstenir de le féliciter tout en éprouvant personnellement quelques doutes sur les conséquences de l'événement… Mussolini en est heureux lui aussi. Depuis longtemps, il souhaite que se clarifie la situation entre l'Amérique et l'Axe. »

Au matin du lundi 8 décembre, Hitler réunit à son grand quartier général une conférence pour définir « sous quelle forme les modalités de la déclaration de guerre à l'Amérique pourront impressionner favorablement le peuple allemand ».

Le Führer retient l'amiral Raeder et donne l'ordre à la Kriegsmarine « de couler les bâtiments américains partout où elle les rencontrerait ».

La déclaration de guerre n'a pas encore été transmise, mais qu'importe ! Les navires américains ont attaqué des navires allemands ! « De tels actes ont créé *de facto* l'état de guerre », dit le Führer.

Le mardi 9 décembre, à 11 heures du matin, il arrive à Berlin.

Il rencontre Oshima, l'ambassadeur japonais, et lui décerne la grand-croix de l'ordre du Mérite de l'Aigle d'or allemand. Il le félicite pour l'attaque de Pearl Harbor.

« Voilà comment il faut déclarer la guerre, dit-il. Cette méthode est la seule efficace. Elle correspond à mon propre système, c'est-à-dire négocier aussi longtemps que possible, mais si l'on s'aperçoit que l'adversaire ne cherche qu'à se dérober, à vous humilier, à vous tromper et se refuse à toute entente, il faut alors frapper le plus brutalement possible, sans perdre son temps à déclarer la guerre.

« Je me réjouis de la réussite de la première opération japonaise. Moi-même, en un temps, avec une patience infinie, j'ai poursuivi des négociations avec la Pologne par exemple et avec la Russie. Quand la mauvaise foi de l'adversaire m'est apparue, j'ai frappé sans m'attarder à d'inutiles formalités et à l'avenir je continuerai à agir ainsi. »

Le lendemain, mercredi 10 décembre, il apprend avec jubilation qu'au large des côtes de Malaisie, les bombardiers japonais ont coulé deux cuirassés britanniques, le *Prince of Wales* et le *Repulse*. « Le Japon, confirme l'amiral Raeder, a désormais la complète suprématie dans le Pacifique, les mers de Chine et l'océan Indien. »

Raeder ajoute que les États-Unis vont être contraints de transférer leurs unités de l'Atlantique au Pacifique, ce qui facilitera la chasse aux convois protégés par les États-Unis.

Quand Hitler apprend que Churchill aurait dit après la perte de ces deux cuirassés : « Depuis le début de la guerre, jamais coup ne m'atteignit plus directement », il éprouve un sentiment d'euphorie qui lui rappelle les moments les plus heureux de l'année 1940.

Aujourd'hui, la Wehrmacht recule devant Moscou !
Mais tout reste encore possible.
Hitler décide de signer avec le Japon et l'Italie un pacte tripartite affirmant l'inébranlable résolution des trois

nations de ne déposer les armes qu'après leur victoire remportée sur les États-Unis et la Grande-Bretagne.

Maintenant, Hitler peut s'adresser au peuple allemand, annoncer sa décision de déclarer la guerre aux États-Unis.

Et ce jeudi 11 décembre 1941, il monte à la tribune du Reichstag.

Il parle avec sa hargne de tribun, son ton d'accusateur prophétique.

« J'accuse Roosevelt de s'être rendu coupable d'une série de crimes contre les lois internationales... »

C'est Roosevelt qu'il veut détruire, dans une sorte de combat singulier.

Il hait cet homme, il le méprise. Il veut sa mort.

« Un abîme infranchissable sépare les conceptions de Roosevelt des miennes, dit-il. Cet homme issu d'une famille riche appartient depuis sa naissance à cette classe dite privilégiée dont les origines, dans les pays démocratiques, aplanissent les problèmes de l'existence.

« Je suis, moi, l'enfant d'une famille pauvre et j'ai dû me frayer mon chemin de haute lutte par un travail acharné et sans merci. Roosevelt a vécu la Première Guerre mondiale à l'ombre protectrice de Wilson, dans la sphère des profiteurs.

« Roosevelt est de ceux qui brassent des affaires pendant que d'autres versent leur sang.

« J'étais, moi, le simple soldat qui exécute les ordres de ses chefs. Parti pauvre pour la guerre, j'en suis revenu pauvre.

« J'ai partagé le sort de millions d'hommes et Roosevelt celui des privilégiés qu'on appelle les *dix-mille*. Après la guerre, en 1918, il s'empressa d'exploiter ses aptitudes de spéculateur en tirant parti de l'inflation, c'est-à-dire de la misère des autres, alors que moi je gisais sur un lit d'hôpital... »

Hitler dénonce l'échec du *New Deal*, exalte la réussite du nationalisme.

Roosevelt « détourne alors l'attention de l'opinion publique, de la politique intérieure vers la politique extérieure. Il est soutenu dans cette manœuvre par son entourage juif.

« Toute la juiverie met sa bassesse diabolique à son service et Roosevelt lui donne la main.

« Pendant des années, cet homme nourrit un désir unique : le déchaînement d'un conflit quelque part dans le monde. »

À chaque accusation, à chaque phrase, les députés du Reichstag applaudissent, scandent « *Heil Hitler !* ».

Le Führer laisse la vague retomber, reprend :

« Il se peut qu'en raison de son infériorité intellectuelle, Roosevelt ne comprenne pas mes paroles, mais nous connaissons, nous, l'objet de son acharnement à détruire une nation après l'autre…

« Ainsi ai-je fait rendre aujourd'hui même son passeport à l'ambassadeur des États-Unis. »

Ces derniers mots sont couverts par une interminable ovation.

Peu après, à 2 h 30 de l'après-midi, Ribbentrop donne lecture au chargé d'affaires des États-Unis à Berlin de la déclaration de guerre, sans l'inviter à s'asseoir.

Il lui en remet le texte puis le congédie.

Hitler, qui avait conçu sa politique internationale de manière à ne pas avoir à combattre sur deux fronts, a désormais les trois plus grandes puissances mondiales coalisées contre le Reich :

« Au moment où les industriels allemands annoncent qu'ils ne pourront fournir les armes, les munitions, le matériel nécessaires à une guerre de plus en plus mécanisée », Hitler a contre lui les États-Unis et l'URSS, dont le potentiel économique est sans égal !

Et les soldats de la Wehrmacht mesurent ce qu'il leur en coûte d'affronter des T34 dont le blindage ne peut être percé par les canons allemands et de combattre sans équipement d'hiver par moins 30 degrés !

Le Führer et Goebbels ont été contraints de lancer un appel aux Allemands pour qu'ils donnent à la Wehrmacht des vêtements chauds, des fourrures.

Et bientôt, les vêtements des déportés assassinés seront envoyés sur le front russe !

Le lieutenant August von Kageneck, emmitouflé, « vêtu comme un bandit avec des vêtements de fortune », tapi dans une isba, écrit :

« Un matin, la radio nous annonça l'entrée en guerre des États-Unis. Nous comprîmes à peine ce que cela impliquait. Un ennemi de plus ou de moins, qu'est-ce que cela signifiait ? Un ennemi de plus ou de moins, qu'est-ce que cela pouvait nous faire ?

« Une petite phrase énigmatique, que les hommes se répétaient, nous trottait dans la tête :

« *Kinder geniesstden Kriege, der Friede wird fürchterlich*

« (Enfants, profitez de la guerre, la paix sera terrible).

« Dehors, il faisait de plus en plus froid.

« *Cholodno, cholodno* ? Froid, froid, psalmodiaient les paysans russes. »

41.

Staline, comme un paysan taciturne, répète ce dimanche 7 décembre 1941, d'une voix sourde et lasse, *cholodno, cholodno*.

Il vient de quitter son appartement et son bureau du Kremlin où il a travaillé toute la journée, recevant le général Joukov qui lui a fait part de la progression de la contre-offensive de l'armée Rouge.

Au sud de Moscou, les Panzers de Guderian qui encerclaient Toula ont été repoussés. Nombreux, le moteur gelé, ont été abandonnés par leurs équipages et souvent les Allemands les ont incendiés.

« *Cholodno, cholodno* », a murmuré Staline.

Il ajoute que le froid est une arme russe qui a vaincu, avec les cosaques, avec les troupes de Koutousov et de Souvarov, la Grande Armée de Napoléon.

Au nord de Moscou, dans la région de Kalinine, le repli allemand est devenu en quelques heures retraite, et ici la débâcle.

Mais d'autres unités de la Wehrmacht résistent, s'accrochent au terrain.

« *Cholodno, cholodno* », a dit Staline en pénétrant dans l'abri construit au-dessous du Kremlin et dans lequel il passe ses soirées et ses nuits. Il l'a fait aménager et meubler, comme sa datcha de Kountsevo où depuis l'avance allemande il ne se rend plus, parce qu'il doit rester au Kremlin, au cœur de Moscou.

C'est là qu'en juillet et novembre il a reçu les envoyés de Roosevelt, Harry Hopkins, puis Harriman.

Il a écouté Hopkins lui dire qu'aux yeux du président Roosevelt, la première chose au monde qui importât était de battre Hitler et l'hitlérisme et qu'en conséquence le président souhaitait aider la Russie.

Et Staline a répondu qu'il était indispensable que les nations aient en commun un minimum de sens des valeurs, qu'elles les partagent.

Or les chefs de l'Allemagne en sont absolument dépourvus. Ils représentent dans le monde actuel une force antisociale.

« Nos vues coïncident », a conclu Staline.

Georgi Joukov.

Ce dimanche 7 décembre 1941, dans l'abri sous le Kremlin, une grande table a été dressée et autour d'elle se pressent les familiers. Ce soir, il n'y a pas Svetlana Allilouieva, la fille de Staline qui, à trois reprises entre octobre et novembre, a été reçue ici, par son père, dans le lieu le plus secret, le milieu le plus fermé de toute la Russie.

Ils sont une quinzaine, Molotov, Kaganovitch, Beria, Vorochilov, Malenkov, auxquels se joint parfois, à l'invitation expresse de Staline, Georgi Joukov, le commandant du front central. Staline, les yeux mi-clos, observe le général, qui est devenu le deuxième personnage de Russie.

C'est pour cela que Staline s'en méfie, mais en même temps il faut lui faire confiance. Les troupes, les soldats, même les généraux ont besoin d'avoir à leur tête l'un des leurs, mais ils ne doivent jamais oublier qu'au-dessus de Joukov, il y a Staline, qui décide de tout en dernière instance, et qui a droit de vie et de mort sur chacun.

Même sur Joukov.

Mais ce soir du dimanche 7 décembre 1941, l'heure n'est pas au doute, à la suspicion.

Staline vient d'apprendre par un message de l'ambassade des États-Unis à Moscou que les Japonais ont attaqué Pearl Harbor, que la plus grande partie de la flotte américaine a été coulée par ce raid aérien.

Staline observe ses convives.

Tous parlent plus fort que d'habitude comme s'ils étaient déjà un peu ivres. Ils attendent, tournés vers Staline, que celui-ci analyse la situation créée par l'entrée dans la guerre des États-Unis !

Staline veut rester impassible, ne pas donner à voir ce soulagement qu'il ressent, cet orgueil aussi.

Car il a depuis le mois d'avril 1941 tout fait pour détourner la menace d'une agression japonaise contre la Russie.

Il a conclu avec Tokyo un pacte de non-agression, empêchant ainsi que le Japon et l'Allemagne, pourtant liés par le pacte *antiKomintern* – depuis 1936 –, ne conjuguent des offensives contre la Russie.

Il a réussi.

Il a pu offrir à Joukov quatre cent mille hommes retirés de la frontière sibérienne. Il a parié sur le respect par le Japon de sa neutralité à l'égard de l'URSS. Et désormais, et sans doute pour plusieurs mois, le risque n'existe plus d'une attaque japonaise, puisque Tokyo a choisi d'affronter les États-Unis.

Solidaire de Tokyo, Hitler va déclarer la guerre à l'Amérique, et la situation de la Russie s'en trouve mécaniquement renforcée.

Mais Staline ne dit pas cela, ce dimanche 7 décembre 1941. Il insiste au contraire sur le probable ralentissement des envois de matériel américain, car Washington va vouloir venger Pearl Harbor, et avec les Anglais, les États-Unis auront à faire face à la poussée japonaise.

Il va falloir rappeler à Churchill et à Roosevelt que la priorité est à l'écrasement de l'Allemagne. Et que le sort de cette bataille se joue en Russie, ici, devant Moscou.

Il faut marteler cela, exiger comme Staline le fait depuis le mois de juillet l'ouverture d'un « second front » dans les Balkans, en France. Et l'occupation anglo-russe de l'Iran, qui vient d'avoir lieu, n'est qu'un premier pas dans la voie de cette coopération militaire.

Mais pour l'heure, il faut apporter son soutien aux États-Unis en veillant à ne pas irriter les Japonais, et le plus simple est de ne pas les nommer !

Staline, ce dimanche 7 décembre 1941, câble au président Roosevelt :

« Je vous souhaite la victoire dans votre lutte contre l'agression dans le Pacifique... »

42.

De Gaulle, ce dimanche 7 décembre 1941, rentrant d'une longue promenade, s'est installé dans un fauteuil placé près de la radio dans le salon de la maison d'Ellesmer où il se rend presque chaque week-end.

Il est en compagnie du chef du Bureau central de renseignement et d'action (BCRA) de la France Libre, un officier du génie, polytechnicien, du nom de Dewavrin, mais qui a choisi pour pseudonyme Passy. C'est un homme froid, flegmatique.

Charles de Gaulle.

Cependant, quand, de Gaulle ayant tourné le bouton de la radio, on entend le speaker répéter plusieurs fois que l'aviation japonaise a bombardé la base aérienne de Pearl Harbor, Passy ne peut s'empêcher de s'exclamer, d'esquisser un mouvement des bras, tout à fait inattendu et qui pourrait exprimer son enthousiasme.

Mais de Gaulle d'un geste brusque arrête la radio.

Le Général veut réfréner cet optimisme qui tout à coup l'envahit. Car les États-Unis, humiliés à Pearl Harbor, vont réagir avec toute leur puissance, et leur entrée dans la guerre, après celle de l'URSS, rend la victoire certaine.

Le problème est donc résolu et les hypothèses qu'il avait formulées dès juillet 1940 viennent de devenir réalité.

De Gaulle reste longtemps silencieux. Il mesure l'échec infamant de la politique de Vichy qui, par un accord – que de Gaulle a dénoncé – du 21 juillet 1941, a donné aux forces impériales nippones accès à toutes les parties de l'Indochine française et admis le principe de défense commune de l'Indochine contre toute agression venant de l'extérieur !

Autant dire que le gouvernement de Vichy a livré l'Indochine aux Japonais et s'est déclaré prêt à combattre à leurs côtés.

Honte sur Pétain et Darlan, maréchal et amiral de capitulation.

Après cela, Darlan peut bien promettre à l'ambassadeur américain à Vichy, l'amiral Leahy, que jamais des troupes étrangères – allemandes, italiennes – ne seront autorisées à pénétrer dans l'Empire français !

Mensonges !

Mais après tout, les États-Unis, en maintenant un ambassadeur à Vichy, n'ont-ils pas donné du crédit à ce gouvernement de fantoches ?

La France Libre adoptera une autre politique.

De Gaulle va réunir le Conseil national dès demain, lundi 8 décembre, et déclarer l'état de guerre contre le Japon, en se rangeant aux côtés de la Grande-Bretagne et des États-Unis.

De Gaulle allume une cigarette, fixe Passy, commence à parler.

« Maintenant la guerre est définitivement gagnée, dit-il, et l'avenir nous prépare deux phases : la première sera le sauvetage de l'Allemagne par les Alliés ; quant à la seconde, je crains que ce ne soit une grande guerre entre les Russes et les Américains, et cette guerre-là, les Américains risquent de la perdre s'ils ne savent pas prendre à temps les mesures nécessaires. »

Passy paraît désorienté, ahuri, tant ces perspectives l'étonnent.

Il faut revenir au court terme, au présent.

« Eh bien cette guerre est finie, reprend de Gaulle. Bien sûr, il y aura encore des opérations, des batailles et des combats, mais la guerre est finie puisque l'issue est dorénavant connue. »

De Gaulle se lève, arpente le salon.

« Dans cette guerre industrielle, rien ne peut résister à la puissance de l'industrie américaine », ajoute-t-il.

Mais il y a une nouvelle donne, lourde de conséquences pour la France Libre :

« Désormais, dit-il, les Anglais ne feront rien sans l'accord de Roosevelt. »

Et quelle sera l'attitude de Roosevelt à l'égard de la France Libre ? De Gaulle sait que la « colonie française » aux États-Unis – Jean Monnet, Alexis Léger, secrétaire général du Quai d'Orsay et poète sous le nom de Saint-John Perse – lui est hostile.

Quant à l'amiral Leahy à Vichy, ses complaisances à l'égard de Pétain et de Darlan sont évidentes.

On murmure qu'aux Antilles, un accord a même été conclu entre les autorités vichystes et américaines. Il s'étendrait à Saint-Pierre-et-Miquelon.

On laisserait les autorités de Vichy en place en échange de concessions et de garanties.

Voilà le péril, voilà une figure possible de l'avenir : les traîtres maintenus à leurs postes par des Alliés soucieux de s'assurer des avantages.

Impossible d'accepter cela !

Le 15 décembre, de Gaulle est assis devant le micro de Radio-Londres.

Dès le lundi 8 décembre, il a annoncé l'état de guerre contre le Japon.

Il veut, une semaine plus tard, stigmatiser ce gouvernement de Vichy qui a livré l'Indochine aux Japonais et accepte que « l'ennemi annonce qu'il va massacrer encore cent Français ».

De Gaulle ajoute que « la France, grâce à Dieu, possède des soldats dont l'ennemi connaîtra une fois de plus dans son histoire la pointe et le tranchant des armes ! ».

Et les Alliés ont la certitude de vaincre !

« Dans cette guerre des machines, l'Amérique possède à elle seule un potentiel égal au potentiel total de tous les belligérants... Quant aux effectifs, quatre hommes sur cinq sont dans notre camp ! »

La voix de De Gaulle se fait plus forte, c'est celle d'un prédicateur et d'un procureur.

« Si nous pouvons être aujourd'hui forcés de subir le massacre de nos compatriotes, nous savons de quelles larmes de sang l'ennemi, avant peu, devra pleurer sa criminelle insolence.

« Le jour est maintenant marqué où nous nous trouverons à la fois les vainqueurs et les vengeurs.

« La France avec nous ! »

CINQUIÈME PARTIE

13-31 décembre 1941

« Ils ne veulent pas accepter le fait que leur armée est déjà complètement encerclée devant Moscou. Ils refusent de reconnaître que les Russes soient capables d'accomplir une telle chose. Alors ils se jettent dans l'abîme, complètement aveuglés. Dans quatre semaines, ils auront perdu leur armée devant Moscou, et plus tard ils perdront la guerre. »

Général Gotthardt HEINRICI
Lettre à sa femme
25 décembre 1941

« Nous faisons nôtres ces paroles prononcées par le grand Churchill : "Il n'y a pas de place dans cette guerre pour les dilettantes, les faibles, les embusqués et les poltrons." »

DE GAULLE
Discours prononcé à la radio de Londres
31 décembre 1941

43.

« La France avec nous », répète de Gaulle en cette fin d'année 1941 en conclusion de ses appels.

Cela signifie pour lui « la France au combat ».

De Gaulle sait que pour se retrouver, à la fin de cette guerre, assis à la table des vainqueurs, il faut avoir été présent sur le champ de bataille.

La France Libre doit être une France combattante.

Et d'abord, en Syrie, en Égypte, et en Libye, là où l'empreinte française est profonde, ancienne.

Il a créé le 1er octobre 1941 deux divisions légères – ou brigades – commandées par le général de Larminat et le général Koenig.

Elles sont prêtes à intervenir en Cyrénaïque, contre Rommel, dans l'offensive *Crusader* – le *Croisé* – lancée par les Anglais, le 19 novembre 1941, par le général Auchinleck. Mais les Anglais refusent d'engager les *Free French Brigade*.

De Gaulle s'impatiente.

Comment admettre que « des troupes françaises restent l'arme au pied pour un temps indéterminé tandis que le sort du monde se joue dans les batailles » ?

Mais les Anglais s'obstinent : ils veulent tenir les Français à l'écart. Car les rapports de force de l'après-guerre commencent à s'établir ici, en Libye, en ces mois de novembre et de décembre 1941.

Eh bien, puisque c'est ainsi, « on » va proposer aux Russes de participer à leur grande guerre patriotique, en envoyant sur le front russe le groupe d'aviation *Normandie*, et une brigade.

Aussitôt la décision de De Gaulle connue, les Anglais changent d'attitude : ils sont prêts à intégrer dans leur 8e armée les cinq mille soldats français, parmi lesquels les légionnaires de la 3e demi-brigade de la Légion étrangère, commandée par le lieutenant-colonel Dimitri Amilakvari.

Battle-dress et casque plat : on peut, de loin, prendre ces légionnaires, ces fusiliers marins, ces hommes de l'infanterie coloniale, pour des Anglais.

D'autres Français constituent un *french squadron* à l'intérieur de l'unité anglaise la plus prestigieuse, *Special Air Service* : ceux-là sont des commandos parachutistes largués loin derrière le front.

Tous ces *Free French* sont des volontaires d'origines diverses : Gabonais, Camerounais, Sénégalais, Malgaches, Nord-Africains, Antillais, Polynésiens, Vietnamiens, Cambodgiens, auxquels s'ajoutent les légionnaires allemands, polonais, italiens, espagnols...

Cette troupe « mélangée » se met en marche le 22 décembre 1941. Venant de Syrie et du Liban, elle entre en Égypte le 28 décembre 1941.

En face d'elle les divisions italiennes et l'*Afrikakorps* de Rommel.

Ces troupes reculent.

« Très chère Lu, écrit Rommel le 20 décembre 1941.

« La situation est devenue extrêmement critique par suite d'une défaillance d'une grande formation italienne.

« [...] Nous nous retirons. Il n'y avait absolument rien d'autre à faire. J'espère que nous parviendrons à gagner la ligne que nous avons choisie. Noël s'annonce comme devant être complètement gâché.

« Je vais très bien. J'ai réussi à prendre un bain et à changer de linge après avoir dormi la plupart du temps tout habillé au cours de ces dernières semaines. Nous avons reçu quelques approvisionnements, les premiers depuis octobre. Tous mes commandants sont malades, tous ceux qui ne sont pas morts ou blessés. »

Les Britanniques, aux côtés desquels vont intervenir les *Free French Brigade*, tentent d'encercler l'*Afrikakorps*, dos à la mer.

« Retraite vers Agedabia ! écrit Rommel le 22 décembre. Vous ne pouvez vous imaginer ce que c'est. J'espère sortir le gros de mes forces et m'arrêter quelque part. Peu de munitions et de carburant, pas d'appui aérien. Conditions exactement inverses chez l'ennemi. Assez sur ce sujet… »

Mais les Britanniques ne réussiront pas à couper la retraite de Rommel qui, pour la première fois, reçoit deux compagnies de chars italiennes et des batteries allemandes ainsi que du ravitaillement.

Le 23 décembre, Rommel peut écrire à sa « très chère Lu » :

« Il semble que nous allons réussir à nous soustraire à l'enveloppement et à ramener le gros en arrière. Ce sera pour moi un grand Noël si nous y parvenons vraiment. Comme on devient modeste !

« Inutile bien entendu de chercher à s'appuyer sur le haut commandement italien. Il y a longtemps qu'il se serait fait prendre avec toutes ses forces. »

C'est le 25 décembre 1941.

« J'ai ouvert mon colis hier soir dans ma voiture et j'ai été enchanté de trouver vos lettres, celles de Manfred [le fils de Rommel] et les cadeaux.

« J'en ai immédiatement porté quelques-uns, la bouteille de champagne en particulier, dans la voiture du 2e bureau où je l'ai bue avec le chef de celui-ci et ceux des 1er et 3e bureaux. La nuit s'est passée calmement. »

Mais la situation de l'*Afrikakorps* reste difficile.

« Les divisions italiennes nous donnent bien du souci, écrit Rommel. Elles montrent des signes alarmants de désintégration et les troupes allemandes doivent se porter à leur aide un peu partout. »

« Je vais en ligne tous les jours, explique-t-il. Je regroupe et j'organise nos forces. J'espère que nous allons réussir maintenant à faire front. »

Rommel craint que les Britanniques ne lancent contre lui leurs blindés et ne lui coupent la retraite. Mais les Anglais ont chaque jour plus de difficultés à approvisionner leurs troupes en munitions, en carburant.

Le général Auchinleck est ainsi contraint d'arrêter ses chars, de laisser l'*Afrikakorps* se faufiler entre les mailles des unités anglaises.

« Rommel, dit Auchinleck, est grandement aidé par la remarquable souplesse de l'organisation de son ravitaillement. »

Le 30 décembre 1941, Rommel écrit :

« Très chère Lu,

« Hier, violents combats qui ont bien tourné pour nous. Leur nouvelle tentative pour nous encercler et nous acculer à la mer a échoué.

« Il pleut, et les nuits sont terriblement froides et venteuses. Je demeure en parfaite santé, dormant autant que je le peux. Vous comprendrez assurément que je ne peux partir d'ici en ce moment. »

Rommel a réussi à éviter l'encerclement. Il peut, avec ses troupes, protéger la Tripolitaine.

Le 31 décembre 1941, il écrit à sa femme et à leur fils :

« Aujourd'hui, dernier jour de l'année, mes pensées sont plus que jamais avec vous deux, qui êtes pour moi tout le bonheur sur la terre.

« Mes vaillantes troupes viennent d'accomplir des efforts presque surhumains.

« Au cours des trois derniers jours où nous avons attaqué, l'ennemi a perdu cent onze chars et vingt-trois autos blindées. Les difficultés malgré lesquelles ce beau succès a été atteint défient toute description. En tout cas, c'est une belle conclusion pour 1941 et cela donne de l'espoir pour 1942.

« Je vais très bien.

« Un jeune coq et une poule se sont bien habitués à cette existence de bohémiens et circulent librement autour de la voiture.

« Je vous envoie à vous deux mes meilleurs souhaits pour 1942. »

44.

À la fin de ce mois de décembre 1941, la nostalgie du général Rommel qui songe à sa femme et à leur fils est un privilège.

Car des millions d'humains, combattants mais aussi civils – hommes, femmes, enfants –, agonisent dans cet enfer qu'est la guerre, « cruelle et sombre », comme l'écrit Karl Lemberg, un Oberleutnant de la Wehrmacht, recroquevillé dans une isba qui le protège du froid. Mais pour combien de temps ?

Il se souvient de ce qu'il a vu, accepté, accompli, subi, depuis qu'il a pénétré, avec les premières unités, le 22 juin, dans les territoires contrôlés par les Russes.

Il a découvert que, derrière les troupes, des groupes d'intervention du service de sécurité SS et des bataillons de police tuaient les Juifs, ou bien poussaient les populations locales à organiser des pogroms sanglants. Ukrainiens, Baltes, qui avaient subi le pouvoir bolchevique, se déchaînaient.

Heydrich, le dirigeant SS, avait donné pour instruction d'inciter les populations à « l'autonettoyage ».

Reinhard Heydrich.

Il faut « établir pour la postérité aussi solidement que possible, et avec des preuves irréfutables, le fait que la population libérée a pris des mesures les plus radicales contre l'ennemi bolchevique et le Juif, de sa propre initiative, sans que l'on puisse discerner aucune influence du côté allemand ».

L'Oberleutnant Karl Lemberg se souvient de « cet homme blond, de taille moyenne, qui se tenait debout, appuyé sur une batte de bois, en position de repos. La batte avait l'épaisseur de son avant-bras et lui arrivait à la poitrine.

« À ses pieds gisaient quinze à vingt personnes mortes ou mourantes. De l'eau coulait sans discontinuer d'un tuyau d'arrosage, emportant du sang dans le caniveau vers la bouche d'égout.

« À quelques pas derrière lui, une vingtaine d'hommes environ, gardés par des civils armés, attendaient leur cruelle exécution, soumis et silencieux.

« Obéissant à un signe négligent de la main, l'homme suivant s'est avancé sans un mot puis a été battu à mort avec la plus extrême sauvagerie pendant que la foule ponctuait chaque coup d'acclamations enthousiastes.

« Certaines femmes tenaient leurs enfants à bout de bras pour leur permettre de mieux voir [1] ».

Partout, jour après jour, les services de sécurité SS tuent des milliers de Juifs, fusillés, ou battus à mort avec des matraques et des pelles.

Là, on voit « des centaines de Juifs marchant le long de la rue, le visage ruisselant de sang, des trous dans la tête, les mains brisées et les yeux sortis de leurs orbites. Ils étaient couverts de sang. Certains en portaient d'autres qui s'étaient effondrés [2] ».

---

1. Cité par Richard J. Evans, *Le Troisième Reich*, Paris, Flammarion, 2009.
2. *Ibid*.

Combien d'assassinés, de la fin du mois de juin à ces derniers jours du mois de décembre 1941 ?

Peut-être plusieurs centaines de mille – six cent mille ! – en ne comptant que les Juifs, auxquels s'ajoutent les civils russes, les soldats de l'armée Rouge, faits prisonniers et qu'on abat ou qu'on laisse mourir de faim et de froid.

Le développement de la guerre de partisans contre la Wehrmacht, ou bien la découverte dans les prisons des villes occupées par les Allemands de soldats de la Wehrmacht abattus après avoir été torturés par les Russes, provoquent vengeances, tueries, meurtres de masse.

Guerre atroce, guerre féroce en cette fin de décembre 1941, alors que se déploie la contre-offensive russe de Joukov.

L'Oberleutnant Karl Lemberg reçoit l'ordre de tenir, sans reculer – *Haltbefelh*, a dit le Führer –, mais en même temps il est ordonné aux troupes de ne pas laisser un village intact à l'ennemi. Maisons et granges doivent être détruites à l'explosif, incendiées. Il s'agit d'empêcher les troupes russes de trouver un abri dans les isbas. Rien n'est dit du sort à réserver aux civils. Dans de nombreux cas, on n'aura pas le temps de les faire partir.

À partir du 20 décembre 1941, les arrière-gardes de la Wehrmacht commencent leur besogne de destruction.

« Ce fut, dit le caporal August Freita, un ordre dur qui nous montra plus que jamais à quel point nous menions une guerre pour l'être ou le non-être. Toi ou moi, un de nous deux doit crever… Par un froid glacial, un vent soufflant de l'est et sous les flocons de neige, nous regardions les habitants du village amassés en bordure de celui-ci, contemplant leurs maisons partir en flammes.

« Des bébés qui n'avaient pas encore respiré l'air du dehors de leurs maisons, sur les bras de leurs mères, hurlaient d'effroi, mais leurs cris étaient bientôt couverts par les cris de celles qui les portaient. Jamais de ma vie je n'avais vu autant de malheur, je ne l'aurais même pas imaginé.

« Je remerciai le bon Dieu de ne pas appartenir au commando incendiaire [1]. »

La température descend à moins 40 degrés.

« Mon cœur s'arrêta lorsque je vis les gelures des hommes, raconte un médecin de la Wehrmacht. Presque toujours les doigts de pied ou les pieds entiers étaient gelés dans la botte, formant avec elle un seul gros bloc de glace. Nous devions d'abord découper toute la botte et ensuite longuement frotter et malaxer le pied jusqu'à ce qu'il redevînt mou et élastique. Nous les enveloppions ensuite dans de la ouate, pour finir par les entourer d'un gros pansement… Dans des cas graves, si le soldat ne pouvait plus supporter ses souffrances, nous le piquions à la morphine, mais il fallait un dosage prudent car la morphine expose davantage le corps au froid. C'est seulement après le dégel complet que les chirurgiens pouvaient décider quelle partie de chair pouvait encore être sauvée de l'amputation [2]. »

Le soldat de la Wehrmacht souffre, meurt, tue.

Il n'a plus d'états d'âme quant à la mort des autres. Ce qui reste d'humanité dans son cœur est réservé aux camarades. Car pour survivre, il faut compter sur eux, les seuls dont on peut attendre qu'ils ne le laissent jamais en perdition.

C'est August von Kageneck qui l'écrit.

Mais il n'y a pas que cette guerre impitoyable. Dans les territoires occupés, à l'Est, en Pologne, en Ukraine, dans les pays baltes, en Russie, ce n'est plus seulement des massacres de Juifs dont il est question mais de leur extermination.

Les soldats de la Wehrmacht tournent la tête pour ne pas voir, mais s'il le faut, il leur arrive de prêter main-forte aux tueurs.

---

1. August von Kageneck, *La Guerre à l'est*, Paris, Perrin, 1998.
2. *Ibid*.

Hitler a annoncé au lendemain de sa déclaration de guerre aux États-Unis que, « concernant la question juive, [il était] décidé à déblayer le terrain... Les Juifs ont provoqué la guerre mondiale, elle est en cours, l'anéantissement de la juiverie doit en être la conséquence nécessaire... Nous ne sommes pas là pour avoir pitié des Juifs mais pour avoir pitié de notre propre peuple allemand ! Maintenant que le peuple allemand a perdu cent soixante mille morts de plus sur le front de l'Est, les instigateurs de ce conflit sanglant vont devoir le payer de leur vie ».

Goebbels a noté ces propos du Führer tenus à Berlin, lors d'une conférence des chefs nazis, le 12 décembre 1941. Et Hans Frank, gouverneur général de Pologne, de retour à Varsovie, traduit la pensée du Führer :

« Les Juifs, liquidez-les vous-mêmes ! Messieurs, je dois vous armer dès maintenant contre tout sentiment de pitié. Nous devons anéantir les Juifs partout où nous les rencontrons et partout où cela est possible, afin de préserver la structure totale du Reich ici. »

Le 18 décembre 1941, Hitler dit à Himmler qu'il faut considérer les Juifs comme des partisans. Himmler note : « Question juive. À exterminer en tant que partisans. »

Heinrich Himmler.

En même temps que Hitler donne ainsi, en cette fin décembre 1941, les ordres concernant la « solution finale de la question juive », le Führer renouvelle la consigne de ne pas reculer.

« Acharnement fanatique, volonté irréductible », répète le général Blumentritt, mais il donne raison au Führer.

« Hitler a compris d'instinct que tout recul à travers ces déserts de neige et de glace aurait entraîné l'effritement du front et partant une déroute comparable à celle de la Grande Armée de Napoléon… »

Hitler n'accepte d'ailleurs aucun avis différent du sien.

Il insulte, punit, destitue, condamne à mort ceux de ses généraux qui plaident en faveur de la retraite.

Von Rundstedt, von Bock, Guderian, Hoepner sont relevés de leur commandement.

Le général Hans von Spoeneck, qui a dirigé l'assaut contre les Pays-Bas en mai 1940, est traduit en conseil de guerre, dégradé, condamné à mort.

Le général Keitel est insulté. Von Brauchitsch, chef d'état-major, est qualifié de « capon vaniteux, de crétin, de polichinelle » et démis de son poste.

Le 10 décembre, Hitler annonce au général Halder qu'il prend lui-même le commandement suprême des forces armées du Reich.

« Le rôle du chef militaire suprême est de dresser les armées selon l'idéal national-socialiste, dit Hitler. Aucun de mes généraux n'est capable de le remplir comme je veux qu'il soit. En conséquence, j'ai décidé de prendre la barre moi-même. »

Mais « le désastre continue », écrit le général Gotthardt Heinrici à sa femme, le soir de Noël 1941.

« Au sommet, à Berlin, tout en haut de la pyramide, personne ne veut l'admettre… Pour des raisons de prestige, personne n'ose reculer franchement. Ils ne veulent pas accepter le fait que leur armée est déjà complètement encerclée devant Moscou. Ils refusent de reconnaître que les Russes soient capables d'accomplir une telle chose. Alors ils se jettent dans l'abîme, complètement aveuglés. Dans quatre semaines, ils auront perdu devant Moscou, et plus tard ils perdront la guerre. »

Pourtant les Allemands évitent l'encerclement. Ils résistent. « *Haltbefehl.* » Ils se sont enterrés. Les villages changent plusieurs fois de mains et surtout les Russes ne disposent pas de moyens suffisants – chars, camions – pour conclure par une victoire éclatante – encercler les Allemands entre Moscou et Smolensk – leur contre-offensive.

Mais à plusieurs reprises la panique a saisi les généraux allemands.

Le général Halder note dans son journal :

29 décembre 1941 :

« Autre journée critique… conversation dramatique entre le Führer et von Kluge. Le Führer interdit le repli de l'aile nord de la IVᵉ armée. Crise sérieuse dans la IXᵉ armée où les généraux ont visiblement perdu la tête… »

30 décembre 1941 : « encore un trou noir ».

31 décembre 1941 : « sombre fin d'année ».

45.

Ce mois de décembre 1941, si « sombre » et si « noir » pour les généraux de la Wehrmacht, est moment de clarté, d'espérance pour les adversaires du Reich. Mais à tous, Allemands ou Russes, s'impose la « vérité cruelle de la guerre », selon les mots de Vassili Grossman, l'écrivain et correspondant de guerre de *L'Étoile rouge*, le journal de l'armée russe soviétique.

Un soldat de la Wehrmacht écrit à sa femme :
« Ne t'inquiète pas et ne sois pas triste, puisque plus vite je serai sous terre, plus je ferai l'économie de grandes souffrances. »
Il appartient à la VIᵉ armée du Feldmarschall von Reichenau, celle qui s'est emparée de Kiev.
Il ne dit pas – mais le souvenir le hante – qu'il a aidé au « transport » de près de quarante mille Juifs jusqu'au ravin de Babi Yar, à l'extérieur de la ville. Là, ils ont été massacrés par le Sonderkommando SS.
Le soldat a entendu les détonations et les cris d'effroi, il a vu les corps tomber les uns sur les autres, certains encore vivants.
Il a fermé les yeux, il a souhaité qu'une explosion mette fin à son existence.
Puis l'instinct de vie et la discipline ont étouffé sa mémoire. Il se bat, il viole les jeunes filles russes qui se sont couvertes de haillons, ont noirci de suie leurs visages, pour

ne pas attirer le regard des soldats, ne pas susciter leur désir. Elles savent qu'elles peuvent être rassemblées pour constituer un « bordel » mis à la disposition des troupes entre deux combats.

Vassili Grossman est en première ligne.

Il note fébrilement dans son carnet ce qu'il voit, ce qu'il entend, ce qu'il devine. Il sait bien qu'il ne pourra pas utiliser tout ce matériau, cette « vérité cruelle de la guerre » dans ses articles mais il écrit, sûr qu'un jour, la guerre finie, il pourra composer un grand livre de témoignage.

« Au poste de commandement du régiment, une isba vide. Les Allemands ont tout emporté : les chaises, les lits, les tabourets. Le commandant de la division – le colonel Pessotchine – et le commissaire – Serafim Snitser –, tous deux énormes, massifs, avec de gros poings grassouillets, frappent leurs subordonnés au visage. La commission militaire du Parti [communiste] a ouvert des actions contre l'un et l'autre. Ils font des promesses d'ivrognes, et chaque fois ils explosent... »

Ils boivent comme beaucoup de soldats, prêts à avaler tout ce qui brûle la gorge, obscurcit la pensée, du liquide anti-ypérite ou de l'alcool pharmaceutique.

Il faut tenir ces soldats, jetés en avant contre des Panzers, des mitrailleuses. L'état-major, les commissaires politiques craignent les désertions. On fusille dès qu'on soupçonne. Le soldat suspect qui échappe au peloton d'exécution est versé dans un « bataillon pénitentiaire », où la mort est quasi certaine. Ces unités sont vouées aux attaques suicide, et leurs hommes sont contraints d'avancer au travers des champs de mines devant les troupes d'assaut !

Pas de pitié pour les soldats qui s'abstiennent de dénoncer ou d'abattre les camarades qui tentent de déserter, ou ceux qui murmurent ou hurlent « À bas le pouvoir soviétique ».

« Nos chefs se moquent de nous, a déclaré un soldat en abandonnant son poste. Ils boivent notre sang jusqu'à la dernière goutte et eux-mêmes s'engraissent. »

Interrogé par le commissaire politique, il a lancé : « Le temps viendra bientôt où nous vous soulèverons vous aussi, à la pointe de nos baïonnettes. » Le commissaire l'a tué d'un coup de pistolet.

Mais quand l'alcool s'empare des esprits, la peur s'efface et on dit au chef qui veut faire respecter la discipline : « Ça fait longtemps que mon fusil a une balle pour toi dans le canon. »

Et cette menace se paie devant un peloton d'exécution ou d'une balle tirée à bout portant sans autre forme de procès.

Combien, à la fin de l'année 1941, de soldats de l'armée Rouge sont-ils morts ainsi, abattus pour s'être rebellés ou avoir déserté, et combien sont-ils tombés dans les attaques des bataillons pénitentiaires ? Sûrement plusieurs dizaines de milliers.

Mais l'armée Rouge, malgré eux, malgré des centaines de milliers de prisonniers, a tenu, a réussi à contre-attaquer, à faire pour la première fois reculer la Wehrmacht sur tout le front, de Leningrad à Moscou et Rostov.

Cela n'aurait pas été possible si le patriotisme, la volonté de chasser l'envahisseur n'avaient soulevé les soldats, les civils, les partisans tapis dans toutes les forêts de la Russie.

Ce patriotisme, les commissaires politiques l'exaltent, réunissant les soldats, racontant et exaltant les actes de courage, les propos patriotiques.

Le soldat de l'armée Rouge, Jourba, a déclaré : « Mieux vaut la mort que la captivité fasciste ! »

« Lors du combat pour le village de Zaliman, un soldat de l'armée Rouge blessé est entré dans la cour de la citoyenne Galia Iakimenko. Elle voulait lui porter secours. Un fasciste allemand a fait irruption dans la cour et a tué d'une balle le soldat ainsi que Galia et il a tenté de tirer sur le fils Iakimenko âgé de quatorze ans. Un vieux voisin, Bela Beliavtesev, a saisi un gourdin et a frappé le fasciste sur la tête. Le combattant Petrov a surgi et il a exécuté l'Allemand. »

Les combats vont ainsi jusqu'au corps à corps.

Vassili Grossman note : « Difficulté pour l'artillerie. Le combat a lieu dans le village même et tout est imbriqué. Une maison est à nous, l'autre à eux. Comment utiliser ici des armes à feu de grande puissance ? »

Dans la plupart des secteurs du front, après avoir reculé, les Allemands, en cette fin décembre 1941, organisent des contre-attaques.

Vassili Grossman assiste à l'une d'elles, depuis le haut d'un tertre.

« Les Allemands avancent de quelques pas en courant et se couchent à terre. Une petite silhouette agite les bras : c'est un officier. Encore quelques pas en avant et les voilà reculant dans le désordre… Une fois encore, la petite silhouette agite les bras et, de nouveau, quelques pas, puis ils recommencent à reculer. La contre-attaque a échoué.

« C'est comme un vœu qui se réalise. Dès que les Allemands forment un petit groupe, bing, un obus ! C'est l'œuvre du pointeur Morozov. »

« Nous reprenons l'offensive, écrit Grossman. Les routes, la steppe sont pleines de véhicules allemands fracassés, de canons abandonnés, par terre ce sont des centaines de cadavres allemands, des casques, des armes… »

« Fini le temps, s'exclame Grossman, où ces soldats fascistes marchaient en rangs par les capitales de l'Europe. Ils avaient à cœur de faire forte impression.

« Et les voilà qui sont entrés au matin dans ce village russe. Les soldats avaient mis des capelines de femme sous leurs casques noirs et des caleçons longs de femme en tricot. Nombre de soldats traînaient derrière eux des luges chargées de couvertures, d'oreillers, de petits sacs de nourriture, de vieux seaux…

« Il y a six heures, les Allemands étaient encore dans l'isba. Là, sur la table, il y a leurs papiers, leurs sacs, leurs casques, les isbas auxquelles ils ont mis le feu se consument encore, leurs corps sans vie, éventrés par l'acier soviétique, gisent dans la neige.

« Et les femmes, pressentant que le cauchemar de ces derniers jours est fini, s'exclament soudain à travers leurs sanglots : "Petits trésors, nos trésors à nous, vous êtes revenus !"

« – Eh bien, ça s'est passé comment ? leur demande-t-on.

« – D'abord, les Allemands sont arrivés à pied. D'abord, ils frappent à la porte, ils s'entassent tous dans la maison, ils sont là, debout, près du poêle, comme des chiens efflanqués, ils claquent des dents, ils tremblent, ils fourrent leur main directement dans le poêle et leurs mains sont rouges comme de la viande crue.

« "Chauffe, chauffe", qu'ils crient, et leurs dents font clac, clac.

« Bon, ils venaient à peine de se réchauffer qu'ils se sont mis à se gratter furieusement. C'était affreux à voir et comique. Comme des chiens, avec les pattes, ils se grattaient. Les poux, avec la chaleur, ils étaient partis se balader sur eux. »

Vérité cruelle de la guerre, cette fin décembre de l'année 1941.

46.

La vérité de la guerre qui, depuis le dimanche 7 décembre 1941, se livre aux antipodes est aussi cruelle.

Ce dimanche 7 décembre 1941, il a suffi d'une heure aux Japonais pour prendre le contrôle de l'océan Pacifique.

Ce jour-là, ils ont coulé à Pearl Harbor quatre des huit cuirassés américains ancrés dans la rade, en endommageant gravement les autres.

Ils n'ont pas atteint les porte-avions, mais ceux-ci sont loin et n'interdisent pas aux Japonais de commencer à débarquer sans être menacés dans la péninsule malaise, de même qu'aux Philippines.

Et ces invasions interviennent presque simultanément à l'attaque de Pearl Harbor.

La grande base navale britannique de Singapour est menacée comme celle de Hong Kong.

Aux Philippines, les troupes japonaises qui ont débarqué se dirigent vers Manille, et les forces américaines reculent, abandonnent la presque totalité de l'île de Luçon. Elles se replient dans la presqu'île de Dataan.

Les Américains qui ont percé le code diplomatique japonais, et décryptent les messages échangés entre les diplomates et le commandement japonais, sont cependant démunis, comme le sont les Anglais.

Hong Kong capitule le jour de Noël 1941 : la garnison britannique de douze mille hommes est capturée.

C'est le temps des souffrances et de l'humiliation qui commence pour les prisonniers britanniques.

Mais il y a pire encore pour l'orgueil anglais : les deux cuirassés, le *Prince of Wales* et le *Repulse*, sont coulés, le 10 décembre, par l'aviation japonaise.

Ce jour-là, Winston Churchill se souvient de ces marins du *Prince of Wales* chantant les hymnes religieuses sur la plage arrière du cuirassé, ce 10 août 1941, au large de Terre-Neuve, pour la signature de la Charte de l'Atlantique.

Churchill sait que ce désastre entraîne, à terme, dans quelques semaines, la chute de Singapour.

Que restera-t-il de la domination impériale, de ce qu'on appelle depuis un siècle « l'Empire sur lequel le soleil ne se couche jamais » ?

Et la perte de Singapour entraînera la conquête japonaise de la Birmanie, des Indes néerlandaises, et c'est l'Inde et l'Australie qui pourraient être à leur tour menacées.

Une seule réponse à ces pertes probables : souder la Grande-Bretagne aux États-Unis, constituer à Washington un « Comité des chefs d'état-major combinés » anglo-américains, bâtir la Grande Alliance, en y incluant la Russie, tout en se défiant des ambitions et des arrière-pensées de Staline. Et puisque l'entrée en guerre des États-Unis garantit la victoire, quels que soient les échecs, il faut aller à Washington rencontrer Roosevelt.

Le 12 décembre, Churchill embarque sur le cuirassé *Duke of York*.

Le 22 décembre 1941, il est à Washington.

C'est un homme de soixante-sept ans. Une source d'énergie inépuisable, saluant la foule enthousiaste, bras dressés, les doigts dessinant le V de la victoire.

Winston Churchill.

Il discourt dans les banquets. Il répond aux questions des journalistes. Il s'entretient avec Roosevelt, les ministres, les généraux, les amiraux.

Au cours de cette première conférence, dite *Arcadia*, il passe d'un entretien à un discours, vingt heures par jour, et cela pendant trois semaines.

Le 27 décembre 1941 – la veille, il est intervenu devant le Congrès américain –, il s'étouffe en essayant d'ouvrir une fenêtre et ressent une vive douleur qui de la poitrine se prolonge dans le bras gauche.

Les Américains – le président Roosevelt, le général Marshall, chef d'état-major, l'industriel Stettinius – le contraindront à prendre quelques jours de repos en Floride, dans une luxueuse villa de Palm Beach.

Mais qui pourrait empêcher Churchill de penser, d'imaginer, de harceler ses proches, d'intervenir ?

La situation d'ailleurs exige qu'on organise la riposte aux Japonais, qu'on prépare des opérations contre l'Allemagne, qu'on établisse des plans pour doubler les productions de matériel, d'armes, de navires.

Le général Marshall.

Car si personne ne doute de la victoire finale, chacun constate que le présent est encore « sombre » et « noir ».

D'abord dans le Pacifique, où l'offensive japonaise se poursuit. Et c'est douleur pour Churchill que de subir la chute de Hong Kong, celle annoncée de Singapour.

Mais en Cyrénaïque, Rommel a échappé à l'encerclement. Mais en Russie, la contre-offensive russe s'essouffle. Elle a sauvé Moscou et Leningrad. Elle n'a pas blessé à mort la Wehrmacht.

Il faut donc réagir, prévoir, envisager un débarquement en Afrique du Nord en 1942, organiser la production de quarante-cinq mille avions, celle de centaines de milliers de camions, de tanks, de voitures tout-terrain. Sur chacun des sujets, Churchill intervient avec foi, énergie, obstination, compétence.

Il est bien le *Warlord*.

Le jour de son départ pour l'Angleterre, le 16 janvier 1942, il peut, avant d'embarquer sur son hydravion, le bras levé, former avec les doigts le V de la victoire.

47.

Comme Churchill, de Gaulle ne doute pas de la victoire : Hitler et son IIIe Reich seront défaits.

Cependant, en cette fin décembre 1941, de Gaulle s'inquiète.

Le tête-à-tête Churchill-Roosevelt prépare la domination anglo-américaine dans la conduite des opérations et dans l'après-guerre.

Et qu'en sera-t-il de la France, de son empire, de son rôle dans le monde, de sa souveraineté ?

À Washington, a-t-il été question d'elle ?

La France est pourtant concernée par ce qui se passe en Asie. L'Indochine, livrée par le gouvernement de Vichy aux Japonais, ne fait-elle pas partie de l'Empire français ?

Mais les Anglo-Américains ont constitué un état-major dans lequel ils ont convié les Hollandais, mais ignoré les Français.

L'Indochine ne vaut-elle pas les Indes néerlandaises ?

De Gaulle sait bien qu'à Londres comme à Washington, on veut ménager le gouvernement de Vichy, dont on pense qu'il contrôle l'Afrique du Nord et l'Afrique occidentale.

On lui a laissé le pouvoir, dans les Antilles et dans ces îles situées face à Terre-Neuve et au Canada, Saint-Pierre-et-Miquelon.

Si la France veut rappeler qu'elle est et veut être une grande puissance souveraine, elle doit agir.

Impossible d'accepter que les traîtres, qui « collaborent » avec Hitler, soient maintenus en place par Londres et les États-Unis soucieux de s'assurer ainsi des avantages, des facilités. Si la France Libre l'acceptait, c'en serait fini alors de la souveraineté nationale !

Agir donc !

Trois corvettes des Forces navales françaises libres, avec à leur bord l'amiral Muselier et l'enseigne de vaisseau Alain Savary, sont au Canada, à Halifax.

Voilà des mois que Muselier a envisagé une action pour renverser les « vichystes » qui gouvernent à Saint-Pierre-et-Miquelon, mais le désastre de Pearl Harbor, l'entrée dans la guerre des États-Unis l'ont rendu hésitant. Il ne veut agir qu'à la condition d'obtenir l'accord préalable des États-Unis et de l'Angleterre.

Émile Muselier.

Naïveté !

Il faut prendre de vitesse les Américains, les empêcher de s'entendre avec les vichystes, affirmer que la France Libre est légitime en arrachant aux « traîtres » des morceaux d'Empire.

Le 17 décembre 1941, de Gaulle télégraphie à l'amiral Muselier :

« Nos négociations nous ont montré que nous ne pourrons rien entreprendre à Saint-Pierre-et-Miquelon si nous attendons la permission de ceux qui se disent intéressés.

« C'était à prévoir. La seule solution est une action à notre propre initiative. Je vous répète que je vous couvre entièrement à ce sujet. »

Mais Muselier hésite, envisage de refuser d'appliquer une décision qu'il juge insensée.

Peut-on raisonnablement, en ces jours de décembre 1941 où l'offensive japonaise se déploie, jouer sa propre carte, pour quelques arpents de terre, et s'opposer aux États-Unis, le grand allié ?

De Gaulle renouvelle donc son ordre :

« Je vous prescris, télégraphie-t-il à Muselier, de procéder au ralliement de Saint-Pierre-et-Miquelon par vos propres moyens et sans rien dire aux étrangers. Je prends l'entière responsabilité de cette opération devenue indispensable pour conserver à la France ses possessions françaises. »

Le 24 décembre 1941, la radio annonce la reprise de Benghazi par les Britanniques, qui en Cyrénaïque ont contraint Rommel à reculer, puis, après un silence, le speaker présente une seconde nouvelle dont il dit qu'elle est importante :

« L'amiral Muselier, commandant une formation d'unités navales françaises libres, a débarqué au port de Barachois, dans l'île de Saint-Pierre, où il a été accueilli avec enthousiasme par la population de Saint-Pierre-et-Miquelon. »

L'amiral Muselier dans une dépêche à de Gaulle a précisé :

« Miquelon a effectué un ralliement unanime. Un plébiscite aura lieu demain à Saint-Pierre. »

Joie d'un moment.

Déjà ternie par les indignations de Cordell Hull, le secrétaire d'État aux Affaires étrangères des États-Unis.

Cordell Hull condamne « l'action entreprise par des navires prétendument français libres, à Saint-Pierre-et-Miquelon ».

Cordell Hull demande même au gouvernement canadien de « restaurer le *statu quo* ».

Faudra-t-il se battre pour empêcher que les États-Unis n'appliquent une politique absurde qui conforte Vichy et dénonce la France Libre ?

De Gaulle télégraphie à Muselier.

« Mes vives félicitations pour la façon dont vous avez réalisé ce ralliement dans l'ordre et la dignité. »

Mais il faut toucher Churchill, l'empêcher de prendre le parti de Cordell Hull et de Roosevelt.

« Il ne me paraît pas bon que dans la guerre, lui écrit de Gaulle, le prix soit remis aux apôtres du déshonneur. Je vous dis cela à vous parce que je sais que vous le sentez et que vous êtes le seul à pouvoir le dire comme il faut. »

Mais quelle que soit la décision de Churchill, de Gaulle fait savoir qu'il ne cédera pas. Qu'on ose déloger les Français Libres de Saint-Pierre-et-Miquelon ! On se battra !

La presse américaine et anglaise critique Cordell Hull. L'opinion aux États-Unis comme en Angleterre manifeste sa sympathie pour la France Libre.

Elle est émue par le *Message de Noël* adressé aux enfants de France et prononcé par de Gaulle à Radio-Londres.

« Mes chers enfants de France, vous avez faim parce que l'ennemi mange notre pain et notre viande. Vous avez froid parce que l'ennemi vole notre bois et notre charbon. Vous souffrez parce que l'ennemi vous dit et vous fait dire que vous êtes des fils et des filles de vaincus.

« Eh bien moi, je vais vous faire une promesse, une promesse de Noël. Chers enfants de France, vous recevrez bientôt une visite, la visite de la Victoire. Ah, comme elle sera belle, vous verrez... »

La presse reproduit les paroles de De Gaulle et, le 30 décembre 1941 Churchill, qui a mesuré le soutien que l'opinion apporte à de Gaulle et à la France Libre, salue devant le Parlement canadien les Français qui ont refusé de « courber l'échine et choisi de continuer la lutte aux côtés des Alliés ».

Churchill conclut qu'il n'y a pas de place dans cette guerre « pour les dilettantes, les faibles, les embusqués ou les poltrons ».

Winston Churchill, le général polonais Wladyslaw Sikorski et le général de Gaulle lors d'une inspection des unités de l'armée britannique.

Le réalisme l'a emporté. Et de Gaulle a gagné.

Le lendemain, dernier jour de l'année 1941, présentant ses vœux au peuple français dans un discours à la radio de Londres, de Gaulle conclut : « Nous faisons nôtres ces paroles prononcées hier par le grand Churchill. » Et, disant cela, il célèbre ses compagnons de la France Libre et les résistants qui, sur le sol français, rendent la vie de l'occupant difficile.

Ils ne sont point « des dilettantes, des faibles, des embusqués, des poltrons », ceux qui attaquent des soldats et des officiers de la Wehrmacht.

Ils sont téméraires, les membres des groupes MOI – *Main-d'Œuvre Immigrée* – qui rédigent des tracts et des journaux en allemand, destinés aux « ouvriers allemands sous l'uniforme ».

Ces « partisans », des immigrés allemands antinazis, répandent leurs publications dans les bars, les bordels, les restaurants fréquentés par les occupants.

Ces textes sont-ils ramassés, lus ? Qui le sait ?

Mais ce *Travail antiallemand* ne cesse pas, même si son écho est limité, chaque soldat surpris à lire un de ces tracts étant passible de la peine de mort.

Il y a aussi, durant ce mois de décembre 1941, recrudescence des « sabotages ».

Les cheminots ont engagé la « bataille du rail ». Les rails sont déboulonnés, écartés. Et dans les derniers jours de décembre, deux trains de permissionnaires de la Wehrmacht déraillent, alors qu'ils roulent à pleine vitesse.

Le communiqué de la résistance précise que « deux locomotives, trente wagons ont été détruits et trois cents Allemands – dont le commandant de la place de Cherbourg – ont été tués ou blessés ».

C'est un foisonnement d'actions. Là, des journaux clandestins sont diffusés. Ailleurs, des groupes de résistants se constituent. Certains choisissent de rejoindre les grands « réseaux » : *Libération*, *Combat*, le *Front national*.

D'autres créent un « bataillon de la mort » BDLM.

Là, se met en place une filière pour accueillir les prisonniers évadés, leur faire passer la ligne de démarcation, puis la frontière des Pyrénées.

Au cœur même du pouvoir d'État, en zone libre ou occupée, le réseau *Noyautage des administrations publiques* (NAP) sabote, détourne, renseigne.

Toutes ces actions sont l'œuvre d'une minorité de Français mais elles changent le climat. La France n'est plus soumise.

De Gaulle, le 31 décembre, dans ses vœux à la nation, « au moment où commence une année de cruelles épreuves, mais aussi d'immenses espérances », martèle :

« Nous entendons, dit-il, refaire dans la guerre pour la France et pour la liberté du monde l'unité nationale rompue par l'invasion et la trahison. Nous prétendons libérer de l'ennemi ou des traîtres qui le servent tous les territoires et tous les citoyens français. »

Pour cela, il faut d'abord créer l'unité de tous les résistants autour de la France Libre, afin que celle-ci devienne, aux yeux de tous, le gouvernement qui représente la France.

Et que personne ne puisse entretenir le mensonge que les hommes de Vichy incarnent la France.

Mais regrouper tous les résistants – chaque groupe a sa vision de l'avenir – est une tâche difficile, et seul un homme exceptionnel peut l'accomplir.

Dans les dernières semaines de l'année 1941, de Gaulle a choisi cet homme qui doit être courageux jusqu'à l'intrépidité, patriote jusqu'au sacrifice, intelligent et visionnaire, et dévoué au général de Gaulle, partageant ses objectifs. Cet homme, c'est l'ancien préfet Jean Moulin.

Vêtu d'un costume de flanelle grise, d'un imperméable bleu marine, un chapeau mou sur la tête, un foulard autour de son cou, Jean Moulin doit être parachuté en France, en zone libre.

Avec lui, un radio – Hervé Montjaret – et un instituteur lieutenant de réserve – Raymond Fassin – seront largués en Provence, dans la région des Alpilles.

Jean Moulin connaît bien ce pays et possède une maison dans le village de Saint-Andiol.

Ce parachutage ne peut s'effectuer que pendant la période de la pleine lune, qui s'étend du 29 décembre 1941 au 8 janvier 1942.

Mais la tempête souffle et retarde le départ.

Il faut attendre dans le centre de regroupement de Newmarket, relire une nouvelle fois les faux papiers d'identité, vérifier les armes, les ampoules de cyanure.

On lit le journal *France* qui, dans son numéro 3 du 31 décembre, rapporte que, devant le Parlement canadien, Churchill a rendu hommage au peuple français et fait applaudir le nom du général de Gaulle et des Forces françaises libres.

L'impatience de Jean Moulin et de ses camarades s'en trouve accrue.

De Gaulle, qui craint les réticences anglaises devant cette mission dont ils ont compris l'importance politique, insiste pour que, quelles que soient les conditions météorologiques – qui peuvent servir de prétexte –, le bimoteur *Armstrong Whitley* soit autorisé à décoller.

L'autorisation est accordée pour la nuit du 31 décembre 1941. Un premier avion dépose Jean Moulin et ses deux camarades sur un aérodrome situé près des côtes de la Manche.

Dernière attente au mess, dernier café, puis embarquement sur le bimoteur qui décolle peu avant minuit, ce 31 décembre 1941.

L'avion aborde les côtes de la France, alors que se croisent dans le ciel les feux des projecteurs, les tirs de la défense antiaérienne allemande et que s'achève l'année 1941.

Dans quelques heures, à l'aube de ce 1ᵉʳ janvier 1942, Jean Moulin et ses camarades seront largués en France.

Peut-être, en cette première aube de l'année 1942, alors que le mistral pousse les trois corolles blanches des parachutes de Jean Moulin et de ses deux camarades, un Français Libre récite-t-il la prière écrite par le jeune aspirant André Zirnheld :

> *Je m'adresse à Vous, mon Dieu,*
> *Car Vous seul donnez*
> *Ce qu'on ne peut obtenir de soi...*
> *[...]*
> *Je veux l'insécurité et l'inquiétude*
> *Je veux la tourmente et la bagarre*
> *Et que Vous me les donniez, mon Dieu*
> *Définitivement*
> *[...]*
> *Mais donnez-moi aussi le courage*
> *Et la force et la foi*
> *Car Vous seul donnez*
> *Ce qu'on ne peut obtenir de soi.*

Table des matières

Du même auteur

Romans

Le Cortège des vainqueurs, Robert Laffont, 1972.
Un pas vers la mer, Robert Laffont, 1973.
L'Oiseau des origines, Robert Laffont, 1974.
Que sont les siècles pour la mer, Robert Laffont, 1977.
Une affaire intime, Robert Laffont, 1979.
France, Grasset, 1980 (et Le Livre de Poche).
Un crime très ordinaire, Grasset, 1982 (et Le Livre de Poche).
La Demeure des puissants, Grasset, 1983 (et Le Livre de Poche).
Le Beau Rivage, Grasset, 1985 (et Le Livre de Poche).
Belle Époque, Grasset, 1986 (et Le Livre de Poche).
La Route Napoléon, Robert Laffont, 1987 (et Le Livre de Poche).
Une affaire publique, Robert Laffont, 1989 (et Le Livre de Poche).
Le Regard des femmes, Robert Laffont, 1991 (et Le Livre de Poche).
Un homme de pouvoir, Fayard, 2002 (et Le Livre de Poche).
Les Fanatiques, Fayard, 2006 (et Le Livre de Poche).
Le Pacte des Assassins, Fayard, 2007 (et Le Livre de Poche).
La Chambre ardente, Fayard, 2008.
Le Roman des rois, Fayard, 2009

Suites romanesques

LA BAIE DES ANGES :

I. *La Baie des Anges*, Robert Laffont, 1975 (et Pocket).
II. *Le Palais des Fêtes*, Robert Laffont, 1976 (et Pocket).
III. *La Promenade des Anglais*, Robert Laffont, 1976 (et Pocket).
(Parue en un volume dans la coll. « Bouquins », Robert Laffont, 1998.)

LES HOMMES NAISSENT TOUS LE MÊME JOUR :

I. *Aurore*, Robert Laffont, 1978.
II. *Crépuscule*, Robert Laffont, 1979.

LA MACHINERIE HUMAINE :

La Fontaine des Innocents, Fayard, 1992 (et Le Livre de Poche).
L'Amour au temps des solitudes, Fayard, 1992 (et Le Livre de Poche).
Les Rois sans visage, Fayard, 1994 (et Le Livre de Poche).
Le Condottiere, Fayard, 1994 (et Le Livre de Poche).
Le Fils de Klara H., Fayard, 1995 (et Le Livre de Poche).
L'Ambitieuse, Fayard, 1995 (et Le Livre de Poche).
La Part de Dieu, Fayard, 1996 (et Le Livre de Poche).
Le Faiseur d'or, Fayard, 1996 (et Le Livre de Poche).
La Femme derrière le miroir, Fayard, 1997 (et Le Livre de Poche).
Le Jardin des Oliviers, Fayard, 1999 (et Le Livre de Poche).

BLEU BLANC ROUGE :

I. *Mariella*, XO Éditions, 2000 (et Pocket).
II. *Mathilde*, XO Éditions, 2000 (et Pocket).
III. *Sarah*, XO Éditions, 2000 (et Pocket).

LES PATRIOTES :

I. *L'Ombre et la Nuit*, Fayard, 2000 (et Le Livre de Poche).
II. *La flamme ne s'éteindra pas*, Fayard, 2001 (et Le Livre de Poche).
III. *Le Prix du sang*, Fayard, 2001 (et Le Livre de Poche).
IV. *Dans l'honneur et par la victoire*, Fayard, 2001 (et Le Livre de Poche).

MORTS POUR LA FRANCE :

I. *Le Chaudron des sorcières*, Fayard, 2003 (et J'ai Lu).
II. *Le Feu de l'enfer*, Fayard, 2003 (et J'ai Lu).
III. *La Marche noire*, Fayard, 2003 (et J'ai Lu).
(Parus en un volume, Fayard, 2008.)

L'Empire :

I. *L'Envoûtement*, Fayard, 2004 (et J'ai Lu).
II. *La Possession*, Fayard, 2004 (et J'ai Lu).
III. *Le Désamour*, Fayard, 2004 (et J'ai Lu).

La Croix de l'Occident :

I. *Par ce signe tu vaincras*, Fayard, 2005 (et J'ai Lu).
II. *Paris vaut bien une messe*, Fayard, 2005 (et J'ai Lu).

Politique-fiction

La Grande Peur de 1989, Robert Laffont, 1966.
Guerre des gangs à Golf-City, Robert Laffont, 1991.

Histoire, essais

L'Italie de Mussolini, Librairie académique Perrin, 1964, 1982 (et Marabout).
L'Affaire d'Éthiopie, Le Centurion, 1967.
Gauchisme, Réformisme et Révolution, Robert Laffont, 1968.
Histoire de l'Espagne franquiste, Robert Laffont, 1969.
Cinquième Colonne, 1939-1940, Éditions Plon, 1970, 1980, Éditions Complexe, 1984.
Tombeau pour la Commune, Robert Laffont, 1971.
La Nuit des longs couteaux, Robert Laffont, 1971, 2001.
La Mafia, mythe et réalités, Seghers, 1972.
L'Affiche, miroir de l'histoire, Robert Laffont, 1973, 1989.
Le Pouvoir à vif, Robert Laffont, 1978.
Le XXᵉ Siècle, Librairie académique Perrin, 1979.
La Troisième Alliance, Fayard, 1984.
Les idées décident de tout, Galilée, 1984.
Lettre ouverte à Robespierre sur les nouveaux muscadins, Albin Michel, 1986.
Que passe la justice du roi, Robert Laffont, 1987.
Les Clés de l'histoire contemporaine, Robert Laffont, 1989, Fayard, 2001 (et Le Livre de Poche éd. mise à jour, 2005).
Manifeste pour une fin de siècle obscure, Odile Jacob, 1989.

La gauche est morte, vive la gauche, Odile Jacob, 1990.

L'Europe contre l'Europe, Éditions du Rocher, 1992.

Jè. Histoire modeste et héroïque d'un homme qui croyait aux lendemains qui chantent, Stock, 1994 (et Mille et Une Nuits).

L'Amour de la France expliqué à mon fils, Le Seuil, 1999.

Fier d'être français, Fayard, 2006 (et Le Livre de Poche).

L'Âme de la France : une histoire de la nation des origines à nos jours, Fayard, 2007 (J'ai Lu, 2 volumes).

La Grande Guerre (préface à…), XO Éditions, 2008.

Histoires Particulières, CNRS Éditions, 2009.

RÉVOLUTION FRANÇAISE :

I. *Le Peuple et le Roi*, XO Éditions, 2009.

II. *Aux armes, citoyens !*, XO Éditions, 2009.

Biographies

Maximilien Robespierre, histoire d'une solitude, Librairie académique Perrin, 1968 (et Pocket, et Tempus, 2008).

Garibaldi, la force d'un destin, Fayard, 1982.

Le Grand Jaurès, Robert Laffont, 1984, 1994 (et Pocket).

Jules Vallès, Robert Laffont, 1988.

« Moi, j'écris pour agir. » Vie de Voltaire, biographie, Fayard, 2008.

NAPOLÉON :

I. *Le Chant du départ*, Robert Laffont, 1997 (et Pocket).

II. *Le Soleil d'Austerlitz*, Robert Laffont, 1997 (et Pocket).

III. *L'Empereur des rois*, Robert Laffont, 1997 (et Pocket).

IV. *L'Immortel de Sainte-Hélène*, Robert Laffont, 1997 (et Pocket).

DE GAULLE :

I. *L'Appel du destin*, Robert Laffont, 1998 (et Pocket).

II. *La Solitude du combattant*, Robert Laffont, 1998 (et Pocket).

III. *Le Premier des Français*, Robert Laffont, 1998 (et Pocket).

IV. *La Statue du Commandeur*, Robert Laffont, 1998 (et Pocket).

Rosa Luxemburg :

Une femme rebelle, vie et mort de Rosa Luxemburg, Fayard, 2000.

Victor Hugo :

I. *Je suis une force qui va !*, XO Éditions, 2001 (et Pocket).
II. *Je serai celui-là !*, XO Éditions, 2001 (et Pocket).

Les Chrétiens :

I. *Le Manteau du soldat*, Fayard, 2002 (et Le Livre de Poche).
II. *Le Baptême du roi*, Fayard, 2002 (et Le Livre de Poche).
III. *La Croisade du moine*, Fayard, 2002 (et Le Livre de Poche).

César Imperator, XO Éditions, 2003 (et Pocket).

Les Romains :

I. *Spartacus, la révolte des esclaves*, Fayard, 2006 et J'ai Lu.
II. *Néron, le règne de l'antéchrist*, Fayard, 2006 et J'ai Lu.
III. *Titus, le martyre des Juifs*, Fayard, 2006 et J'ai Lu.
IV. *Marc Aurèle, le martyre des chrétiens*, Fayard, 2006 et J'ai Lu.
V. *Constantin le Grand : l'empire du Christ*, Fayard, 2006 et J'ai Lu.

Louis XIV :

I. *Le Roi-Soleil*, XO Éditions, 2007 (et Pocket).
II. *L'Hiver du grand roi*, XO Éditions, 2007 (et Pocket).

Conte

La Bague magique, Casterman, 1981.

En collaboration

Au nom de tous les miens de Martin Gray, Robert Laffont, 1971 (et Pocket).

Crédits photographiques

PHOTO12

p. 18 : Photo12 – Hachedé • p. 31 : Photo12 - KEYSTONE Pressedienst •
p. 37 : Photo12 - Ullstein Bild • p. 46 : Photo12 - Ann Ronan Picture Library •
p. 50 : Photo12 - KEYSTONE Pressedienst • p. 65 : Photo12 • p. 69 : Photo12 –
Hachedé • p. 78 : Photo12 – Photosvintages • p. 85 : Photo12 - Ullstein Bild •
p. 102 : Photo12 – Hachedé • p. 109 : Photo12 - KEYSTONE Pressedienst •
p. 170 : Photo12 - KEYSTONE Pressedienst • p. 173 : Photo12 - Bertelsmann
Lexikon Verlag • p. 181 : Photo12 – Hachedé • p. 198 : Photo12 – Hachedé •
p. 206 : Photo12 – Hachedé • p. 242 : Photo12 • p. 257 : Photo12 - Ullstein Bild •
p. 269 : Photo12 Ullstein Bild • p. 329 : Photo12 - Bertelsmann Lexikon Verlag
• p. 333 : Photo12 - Bertelsmann Lexikon Verlag • p. 345 : Photo12 – Hachedé

ROGER-VIOLLET

p. 15 : TopFoto / Roger Viollet • p. 53 : Roger-Viollet • p. 58 : LAPI / Roger-
Viollet • p. 72 : Albert Harlingue / Roger-Viollet • p. 84 : Roger-Viollet • p. 95 :
Roger-Viollet • p. 117 : LAPI / Roger-Viollet • p. 124 : Ullstein Bild / Roger-
Viollet • p. 129 : TopFoto / Roger-Viollet • p. 139 : LAPI / Roger-Viollet • p. 145 :
Roger-Viollet • p. 154 : TopFoto / Roger-Viollet • p. 156 : Roger-Viollet • p. 162 :
LAPI / Roger-Viollet • p. 176 : Alinari / Roger-Viollet • p. 189 : Roger-Viollet •
p. 213 : LAPI / Roger-Viollet • p. 217 : Roger-Viollet • p. 221 : Roger-Viollet •
p. 228 : Roger-Viollet • p. 230 : TopFoto / Roger-Viollet • p. 249 : Albert
Harlingue / Roger-Viollet • p. 259 : Albert Harlingue / Roger-Viollet • p. 265 :
Albert Harlingue / Roger-Viollet • p. 273 : Henri Martinie / Roger-Viollet •
p. 280 : Roger-Viollet • p. 285 : Roger-Viollet • p. 292 : Roger-Viollet • p. 295 : US
National Archives / Roger-Viollet • p. 301 : TopFoto / Roger-Viollet • p. 312 :
LAPI / Roger-Viollet • p. 315 : Albert Harlingue / Roger-Viollet • p. 348 : Albert
Harlingue / Roger-Viollet • p. 351 : Ullstein Bild / Roger-Viollet

GETTY

p. 345 : Getty Images

Mise en page : Sylvie Denis

Achevé d'imprimer
sur Roto-Page
par l'Imprimerie Floch
à Mayenne
en janvier 2011

N° d'édition : 1878/01 – N° d'impression : 78759
Dépôt légal : janvier 2011
Imprimé en France